अपार ऊर्जा

लेखक की अन्य पुस्तकें

अक्षय निधी (पृथ्वी एवं सागर)	*ओझा, डी.डी.*
विज्ञान और वेद	*ओझा, डी.डी.*
पर्यावरण अवबोध	*ओझा, डी.डी.*
पर्यावरण प्रबंधन	*ओझा, डी.डी.*
सागर की सम्पदा	*ओझा, डी.डी.*
मरूस्थलीय पारितंत्र में वानिकी एवं वन्यजीव	*ओझा, डी.डी.*
जल एवं जनचेतना (द्वितीय संस्करण)	*ओझा, डी.डी.*
पर्यावरण अवबोध	*ओझा, डी.डी.*

अपार ऊर्जा

(सौर, पवन, भूतापीय, बायोगैस, बायोमास, हाइड्रोजन, लघु पनबिजली, अपशिष्ट, सागरीय, ज्वारीय, लहरीय एवं परमाणु ऊर्जा)

समस्त नवीकरणीय ऊर्जा स्त्रोतों पर महत्वपूर्ण कृति

डॉ. डी.डी. ओझा

साईन्टिफिक
पब्लिशर्स

प्रकाशक
तनय शर्मा
साइन्टिफिक पब्लिशर्स (इंडिया)
5–ए, न्यू पाली रोड़,
पोस्ट बॉक्स नं. 91, जोधपुर
फोन – 0291 2433323
फैक्स – 0291 2613449
E-mail: info@scientificpub.com

मूद्रण वर्ष : 2017

IS

ISBN:9789392590665

9 789392 590665
Price: 300/-

Lasertype set: Rajesh Ojha
Printed in India

परम पूज्यपाद
गुरुवर
आचार्य महामण्डलेश्वर
श्री स्वामी महेशानंदजी गिरि महाराज
के
श्रीचरणों में
सादर समर्पित।

'अग्निमीडे पुरोहितं यज्ञस्य देवमृत्विजम् होतारं रत्नधातमम्'

(ऋग्वेद)

ऊर्जा आदिकाल से तू ब्रह्मांड की धारक है – त्याग, ज्ञान और तकनीक तीनों ही को तू प्रदान करती है। तू प्रकाश देती है तथा जितने बहुमूल्य रत्न उपलब्ध हैं तू ही उनकी रचयिता एवं संरक्षक है।

'सूर्य आत्मा जगतस्थुषश्च'

(यजुर्वेद)

सूर्य ही समस्त विश्व की आत्मा तथा ऊर्जा का केन्द्र है। उसी से समस्त पदार्थों में ऊर्जा की विविध–प्रकार की उत्पत्ति, संचरण, संभरण, वृद्धि आदि का कार्य होता रहता है।

प्राक्कथन

जिस दिन से पृथ्वी पर मानव का आविर्भाव हुआ उस दिन से आज तक विकास का एक अनवरत क्रम जारी है। उसने आँख खोलते ही अपने चारों ओर घने जंगलों को देखा था जिसमें उसने सुख–सुविधाओं से रहित ऐसा कठिन जीवन जिया जिसकी आज कल्पना भी नहीं की जा सकती है। विकास की दिशा में उसका पहला सोपान था पत्थर पर पत्थर घिसकर आग की चिंगारी उत्पन्न करना। इसने उसे ऊर्जा का आभास ही नहीं करवाया वरन् उसके जीवन को एक नई दिशा भी दी और यहीं से शुरु हो गई प्रगति पथ की यात्रा।

मानव जाति के विकास में ऊर्जा का सर्वाधिक महत्त्व रहा है। जहाँ एक ओर हमें अपने जीवन रक्षा के लिए खाद्य के रूप में ऊर्जा की आवश्यकता होती है, वहीं नित्य के अन्य क्रिया–कलापों को हम ऊर्जा के बिना नहीं कर सकते हैं।

मानव के धीरे–धीरे उन्नति और सभ्यता की सीढ़ियां चढ़ने पर ऊर्जा की आवश्यकता भी बढ़ती गई। आग के उपयोग से जहाँ एक ओर सामाजिक, औद्योगिक तथा अन्य क्षेत्रों में उन्नति हुई। और मानव की सुख सुविधाओं में दिन–प्रतिदिन वृद्धि होती गई, वहीं दूसरी ओर हमारे ऊर्जा स्रोतों के भंडारों पर भी प्रहार होते गए। आग की खोज से वनों की संपदा जलावन लकड़ी के रूप में जलाई जाने लगी, जिसके कारण जंगलों का क्षेत्रफल घटने लगा। इन ज्वलनशील ऊर्जा स्रोतों के जलाने से पर्यावरण भी प्रदूषित होने लगा क्योंकि इन ऊर्जा स्रोतों के जलने से कई प्रकार की गैसें निकलती हैं। तथा साथ में राख आदि भी बची रहती है, जो समस्त प्राणी जगत के लिए हानिकारक होती है। आज जो पर्यावरण प्रदूषित हो रहा है उसमें इन जलने वाले ईंधन का योगदान सर्वाधिक है।

वैज्ञानिकों के अनुसार केवल ऊर्जा के उत्पादन एवं उपयोग की प्रक्रिया से ही कार्बन डाइ ऑक्साइड के वायुमंडल में जाकर मिलने से जो 'ग्लोबल वार्मिंग' उत्पन्न होती है वह अन्य प्रक्रियाओं और उपयोगों द्वारा उत्पन्न वार्मिंग की मात्रा का लगभग आधा होती है।

एक आंकलन के अनुसार देश में जलने वाले जीवाश्म ईंधनों के भंडार बहुत सीमित है। ऊर्जा भंडारों के साथ हमारे वनों की स्थिति भी बहुत दयनीय है। हमारे देश में उपलब्ध कोयले के भंडार लगभग 150 वर्षों में समाप्त हो जाएंगे, तेल एवं गैस के भंडार भी अधिक से अधिक 25–30 वर्षों तक ही चल पाएंगे। पश्चिमी विज्ञान और प्रौद्योगिकी पर आधारित सभ्यता के पोषण के लिए मानव ने जिस ऊर्जा स्रोत पेट्रोलियम का विगत शताब्दी के अंत में अत्यधिक उपयोग किया था, उसके समाप्त होने की संभावना सन् 1973 में ऊर्जा संकट के रूप में उभरकर सामने आई थी। ऊर्जा के इस संकट ने तीसरे विश्व के अधिकांश देशों को चिन्तित कर दिया।

किसी भी राष्ट्र के सामाजिक, आर्थिक तथा औद्योगिक विकास के लिए ऊर्जा का बहुत महत्त्वपूर्ण योगदान होता है। ऊर्जा की प्रति व्यक्ति खपत ही किसी भी राष्ट्र की प्रगति का सूचकांक होती है। औद्योगिकीकरण, शहरीकरण तथा द्रुत गति से बढ़ती हुई जनसंख्या वृद्धि के कारण ऊर्जा के उपलब्ध पारंपरिक स्रोतों पर बहुत बड़ा दबाव पड़ा है। एक आकलन के अनुसार विश्व की जनसंख्या 2 प्रतिशत की दर से बढ़ रही है, जबकि ऊर्जा की खपत 6 प्रतिशत की दर से बढ़ रही है।

वस्तुतः आज मानव समाज ऊर्जा, विकास तथा पर्यावरण प्रदूषण के त्रिकोण से टकरा रहा है। अतः किसी भी विकसित अथवा विकासशील राष्ट्र के लिए वांछित विकास गति बनाए रखने के लिए ऊर्जा का प्रयोग इस बात को ध्यान में रखकर करना होगा जिससे पर्यावरणीय संतुलन न बिगड़ सके। इस दिशा में हमें विकास के लिए ऊर्जा के विकल्प के रूप में प्राकृतिक स्रोतों का विकास एवं दोहन करना होगा तभी स्वच्छ पर्यावरण एवं समग्र विकास संभव हो सकेगा। ऊर्जा के अपार अथवा अपारंपरिक स्रोत के रूप में सौर, पवन, बायोमास, बायोगैस, हाइड्रोजन, ज्वारीय, पनबिजली, समुद्रीय लहरीय, भू–तापीय, नगरीय व औद्योगिक अपशिष्ट तथा परमाणु ऊर्जा आदि

आते हैं। इनकी पुनः आवर्ती होने के कारण ये "अपार या अक्षय–स्रोत" भी कहलाते हैं। प्राकृतिक अथवा अपार ऊर्जा स्रोतों का उपयोग वर्तमान में समय की मांग है, उसको देखते हुए यह नितान्त आवश्यक है कि जनसाधारण में इस विषयक व्यावहारिक ज्ञान का प्रचार–प्रसार करने के लिए लोकप्रिय साहित्य की रचना उपलब्ध हो। वर्तमान में हिंदी में ऐसी पुस्तकें प्रबुद्ध पाठकों को अत्यल्प ही उपलब्ध है। अतः इस आवश्यकता की पूर्ति हेतु मैंने "अपार ऊर्जा" नामक पुस्तक के लेखन का सुप्रयास किया है।

इस पुस्तक में अपार ऊर्जा से संबंधित सभी पहलुओं, विशेषतः इसके ऐतिहासिक पहलू, आवश्यकता, वर्गीकरण, विभिन्न रूपों अपार ऊर्जा के स्त्रोतों की अवधारणा, सौर ऊर्जा, पवन ऊर्जा, भूतापीय ऊर्जा, बायोमास, बायोगैस, अपशिष्ट, भूतापीय ऊर्जा, हाइड्रोजन, सागरीय, पनबिजली, ज्वारीय, परमाणु ऊर्जा, ऊर्जा संरक्षण, ऊर्जा शिक्षा एवं इनसे जुड़े अनेकानेक महत्त्वपूर्ण बिंदुओं पर अद्यतन जानकारी बोधगम्य भाषा में यथासंभव चित्रों सहित प्रदान करने का सुप्रयास किया गया है। अतः आशा की जाती है कि यह पुस्तक जन–साधारण, विद्यार्थियों, विषयविशेषज्ञों, शोधार्थियों, इंजीनियरों, वैज्ञानिकों, पर्यावरणविदों, प्राधिकारियों तथा शिक्षाविदों के लिए महत्त्वपूर्ण सिद्ध होगी।

इस पुस्तक का सफल लेखन कार्य **पूज्यपाद, अनन्तश्रीविभूषित आचार्य महामण्डलेश्वर स्वामी श्री महेशानंदजी गिरि महाराज के आशीर्वाद** से ही संपन्न हो सका है। अतः यह पुस्तक भी उन्हीं के **श्रीचरणों** में समर्पित है। इसके लेखन कार्य में **श्रीस्वामी स्वयंप्रकाशजी गिरि महाराज** ने बहुमूल्य सुझाव दिए, एतदर्थ मैं उनका हृदय से कृतज्ञ हूँ। लेखक प्रो० शिवगोपाल मिश्र एवं उन सभी कृतिकारों का भी हृदय से आभारी है, जिनकी कृतियों का उपयोग इस जनोपयोगी पुस्तक में जनमानस के ज्ञानवर्द्धन के लिए किया गया है। अतः आशा है, अपार ऊर्जा विषयक यह पुस्तक भारतवासियों के ज्ञान में अभिवृद्धि करेगी।

डॉ० डी०डी० ओझा

अनुक्रम

ऊर्जा क्या है?

जिस प्रकार बिना वायु, जल और भोजन के कोई भी प्राणी जीवित नहीं रह सकता उसी प्रकार बिना ऊर्जा के न तो वह गतिमान हो सकता है और न ही उसकी चेतनता विद्यमान रह सकती है। वस्तुतः यह मात्र ऊर्जा ही है जो जड़ और चेतन में अंतर स्पष्ट करती है। अतः "**किसी भी कार्य को करने की क्षमता को ऊर्जा कहते है**"। चाहे मनुष्य हो या मशीन, कार्य करने के लिए ऊर्जा की आवश्यकता पड़ती है। ऊर्जा और कार्य में सीधा संबंध है। अनेक प्रकार के जीवन आधारित कार्यों में, यहाँ तक कि सांस लेने तक में भी, ऊर्जा का उपयोग होता है। ऊर्जा जीवन के अस्तित्व को बनाये रखने तथा उसके सुचारु रूप से चलाते रहने के लिए अति आवश्यक है।

मनुष्य हो या मशीन, कार्य करने के लिए ऊर्जा की आवश्यकता पड़ती है। हमारे जीवन के अतिरिक्त अन्य जितने भी कार्य जो सम्पन्न होते हैं अथवा किए जाते हैं, वे भी ऊर्जा से ही होते हैं। अतः ऊर्जा को निम्नलिखित प्रकार से भी परिभाषित किया जाता है –

किसी तंत्र/संयंत्र आदि को चलाने के लिए उपयोग में लाई गई शक्ति को 'ऊर्जा' कहते हैं।

ऊर्जा का ऐतिहासिक परिदृश्य

पुरातन काल से ही मनुष्य ऊर्जा का उपयोग विभिन्न कार्यों के लिए करता आया है। वस्तुतः सभ्यता के प्रारंभ से लेकर विगत कुछ

शताब्दियों तक मानव मुख्यतः ऊर्जा के नवीकरणीय स्रोतों पर ही निर्भर था। पाषाणयुग के आदि मानव ने पत्थर को पत्थर से रगड़कर ही आग के रूप में ऊर्जा उत्पन्न की थी। जब मनुष्य ने अग्नि पर नियंत्रण किया अर्थात् उसे अपनी इच्छानुसार जलाना–बुझाना सीखा तो उसने वनस्पति और मांस को कच्चा खाने के बजाय पका कर खाना प्रारंभ किया। तदन्तर हथियार तैयार करने से लेकर अन्य कार्यों में ऊर्जा का उपयोग होने लगा।

प्रारंभ में लकड़ी, फसलों के अवशेष, जानवरों का गोबर इत्यादि ऊर्जा के प्रमुख साधन रहे। आग के आविष्कार के बाद पवन और जल ऊर्जा का दोहन आदि मानव की विकास यात्रा के कुछ मील के पत्थर बने। इन ऊर्जा स्रोतों से उसने मुख्यतः पनचक्कियों को चलाकर उनसे अनाज पीसने या पानी सींचने का कार्य किया। सूखी पत्तियों, कृषि अपशिष्टों आदि जैव–पदार्थों को जलाकर भी मानव ने ऊर्जा प्राप्त की। पाषाण युग से लेकर ताम्रयुग, लौहयुग एवं आधुनिक युग तक आते–आते नये–नये उन्नत ऊर्जा स्रोतों की खोज भी मानव द्वारा की गई। तत्पश्चात् मनुष्य को कोयला मिला। कोयले से उत्पन्न गरमी से पानी गरम किया गया। इतना ही नहीं, गरम पानी से निकली भाप की शक्ति को पहचाना गया और उससे इंजन चलाया गया। इस प्रकार ताप ऊर्जा का यांत्रिक ऊर्जा में परिवर्तन हुआ।

इसके बाद बिजली का प्रादुर्भाव हुआ। थॉमस अल्वा एडिसन ने बिजली का बल्ब जला दिया। इसके साथ ही बिजली ने मनुष्य के जीवन में क्रांति का मार्ग प्रशस्त किया। खनिज तेलों के आने के बाद यातायात तेजी से बढ़ने लगा। मनुष्य के जीवन की गति तेज होती गई और विलासिता की सामग्रियाँ बढ़ती चली गईं। आज मानव की प्रत्येक प्रक्रिया में ऊर्जा का व्यय होता हैं जिसका मूल्य अंतरराष्ट्रीय अथवा राष्ट्रीय बाजार में खनिज तेल या कोयले की निरंतर माँग के आधार पर बढ़ता है और यह बढ़ता ही जा रहा है। क्योंकि मनुष्य प्रत्येक कार्य को अल्प समय में मशीन के द्वारा ही उसे सम्पन्न करना चाहता है।

किसी भी देश के योजना विशेषज्ञ केवल मशीन का मूल्य तथा मजदूर की मजदूरी के मूल्य के आँकड़े निकालकर मशीन को सस्ता ही बताते हैं जिसमें वे ऊर्जा प्राप्त करने के लिए प्रयुक्त हुए खनिज

तेल अथवा अन्य स्रोतों के मूल्य को अधिक महत्व भी नहीं देते हैं। जमीन से निकले कोयला और खनिज तेल की सीमाओं का ज्ञान जब मनुष्य को हुआ तो उसने यह जान लिया कि ऊर्जा के अन्य स्रोतों के आविष्कार, ऊर्जा के अतिरिक्त स्रोतों का दोहन एवं अधिक से अधिक ऊर्जा के उपयोग से जीवन अधिक आरामदेय बनाया जा सकता है। तब से मानव ने नित नये ऊर्जा के स्रोत विकसित किए, विभिन्न उपकरणों का चलन एवं उपयोग प्रारंभ किया। इसके साथ ही ऊर्जा पर अनुसंधान का नया सिलसिला प्रारंभ हुआ, जो आज भी अनवरत जारी है।

वस्तुतः ऊर्जा की माँग मुख्यतः तीन कारकों पर निर्भर करती हैं, यथा – आर्थिक वृद्धि, उद्योगीकरण की गति और ऊर्जा नीति। हमेशा किसी भी वस्तु की माँग उसका मूल्य बढ़ाती है। खनिज तेल, कोयला अथवा विद्युत् का अधिकाधिक प्रयोग बड़े–बड़े औद्योगिक प्रतिष्ठान अथवा विकास प्राधिकरण करते हैं जिसका परोक्ष भार जन सामान्य पर पड़ता है, जबकि इस समाज की ऊर्जा आवश्यकता बहुत सीमित होती है। सीमित आय होने के कारण यह वर्ग आवश्यकता से कम ही इसका उपयोग करता है। प्रायः ऊर्जा का अधिकाधिक उपयोग विलासिता और अन्य आवश्यकताओं में होता है। आर्थिक दृष्टि से सम्पन्न लोग ऊर्जा का अधिक उपयोग करते हैं।

ऊर्जा का वर्गीकरण

मुख्यतः ऊर्जा के साधनों को दो भागों में वर्गीकृत किया जा सकता है –

(i) खनिज या जीवाष्मीय साधन, अर्थात् जो पृथ्वी की सतह के नीचे से निकलते हैं।

(ii) वैकल्पिक साधन, जो मनुष्य ने दूसरे साधनों से विकसित किए हैं, जैसे – सौर ऊर्जा, पवन ऊर्जा, पन बिजली, परमाणु ऊर्जा इत्यादि।

खनिज ऊर्जा – जमीन से निकलने वाले ऊर्जा के संसाधनों को दो भागों में विभक्त किया जा सकता है –

कोयला – वस्तुतः कोयला शब्द ठोस ईंधन के विभिन्न रूपों को दर्शाता है। कोयले की उत्पत्ति ऑक्सीजन की अनुपस्थिति में वनस्पति पदार्थों, जो कि जमीन में हजारों वर्षों से दबे हुए हैं, के क्षय होने की क्रिया से हुई है। कोयला एक उच्च कोटि का व्यावसायिक ऊर्जा स्रोत है, जो कि हमें विभिन्न रूपों से प्राप्त हो सकता है। मुख्यतया कोयले के चार रूप हैं जो निम्नलिखित हैं।

1. पीट 2. बिटूमिनी 3. लिग्नाइट 4. एन्थ्रासाइट

आज भी ऊर्जा की आवश्यकता का एक बड़ा भाग कोयला द्वारा ही पूरा किया जाता है। चीन, अमेरिका, रूस के बाद हमारा भारत विश्व का सबसे बड़ा कोयला उत्पादक देश है।

भारतीय भूगर्भीय सर्वेक्षण विभाग के अनुमान के अनुसार 1200 मीटर की गहराई पर देश में 1 जनवरी 2006 को सुरक्षित कोयले का भंडार 2,5,3,300 मिलियन टन था। कोयले के भंडार की राज्यवार स्थिति सारणी–1 में दर्शायी गई है।

सारणी – 1. राज्यवार कोयला भंडारों का वितरण (दस लाख टन में)

राज्य	प्रमाणित	सांकेतिक	संभावित	कुल
आंध्र प्रदेश	7944	6122	2518	16584
अरूणाचल प्रदेश	31	40	19	90
असम	279	27	34	340
बिहार	0	0	160	160
छतीसगढ़	8561	27409	6165	42135
झारखंड	35265	31552	8326	75143
मध्यप्रदेश	7100	7888	4217	19205
महाराष्ट्र	4509	3151	3534	11194
मेघालय	117	41	301	459
नागालैंड	4	1	15	20
उड़ीसा	14302	29516	15838	59656
उत्तरप्रदेश	766	296	0	1062
पश्चिम बंगाल	11207	11570	4475	27252
योग	9085	117613	45602	253300

कोयले के विभिन्न रूपों की संरचना सारणी–2 में वर्णित की गई है।

सारणी–2. कोयले के विभिन्न रूपों की संरचना

क्र०सं०	कोयले के रूप	सूखा वजन		
		कार्बन %	हाइड्रोजन %	ऑक्सीजन %
1	पीट	57.20	6.00	35.00
2	लिग्नाइट	68.00	5.00	23.00
3	बिटूमिन्स	82.30	5.50	9.20
4	एन्थ्रासाइट	94.60	3.3.	1.30

कोयला हमारे जीवन में प्रत्यक्ष और अप्रत्यक्ष रूप में अत्यन्त उपयोगी है। यह मुख्यतया निम्न कार्यों में उपयोग में लिया जाता है।

(i) औद्योगिक क्षेत्र

(ii) परिवहन

(iii) घरेलू

औद्योगिक क्षेत्र में कोयला सीधा ही ऊष्मा उत्पादन में सहायक है। विद्युत् उत्पादन में भी कोयले की महती भूमिका है। कोयला आधारित विद्युत् उत्पादन संयंत्र बहुत पुराना, प्रचलित एवं सरल साधन है। एक आकलन के अनुसार हमारे देश में लगभग 67 प्रतिशत विद्युत् उत्पादन कोयले पर ही आधारित है। हमारे देश में कोयला विद्युत् उत्पादन के अलावा स्टील उद्योग, सीमेंट उत्पादन, कार्बोरसायन उर्वरक उद्योग एवं अन्य छोटे कल–कारखानों में काम में आता है। भारतीय कोयले में राख की मात्रा अधिक होती है। साथ ही इसकी ऊष्मा क्षमता भी विदेशी कोयले से कम है। वर्तमान में उपलब्ध कोयले की ऊष्मा क्षमता को बढ़ाने का चुनौती भरा कार्य हमारे देश के वैज्ञानिक कर रहे हैं।

कोयले का उत्पादन

हमारे देश में कोयले का उत्पादन लगातार बढ़ रहा है। सन् 1971 में यह 7.29 करोड़ टन था, जो 1996 में बढ़कर 27 करोड़ टन हो गया। इस अवधि में कुकिंग कोयले का उत्पादन 1.78 करोड़ टन

से बढ़कर 4.3 करोड़ टन हो गया, जबकि नॉन कुकिंग का उत्पादन 5.51 करोड़ से बढ़कर 22.7 करोड़ टन हो गया। इसी प्रकार लिग्नाइट का उत्पादन भी 1995 में 1.95 करोड़ टन हो गया।

कोयले की खपत

कोयले की खपत भी इसी गति से बढ़ी। सन् 1971 में यह 7.1 करोड़ टन थी, जो 1994–95 में 26.9 करोड़ टन तक जा पहुँची। कोयले की सबसे अधिक खपत बिजली क्षेत्र में है। इसके बाद स्टील उद्योग आता है। तीसरा बड़ा उपभोक्ता सीमेंट उद्योग है, जो 1.24 करोड़ टन कोयला खपत करता है।

लिग्नाइट

हमारे देश में लगभग 36,009 करोड़ टन लिग्नाइट के भंडार होने के अनुमान है। इसमें से 4150 करोड़ टन लिग्नाइट नेयवेली लिग्नाइट क्षेत्र में, जो तमिलनाडु के कुड्डालोर जिले में हैं, पाया जाता है। इसमें से 336 करोड़ टन की उपस्थिति सिद्ध हो चुकी है। भूगर्भ विज्ञानियों के अनुमानों के अनुसार तमिलनाडु के त्रिची जिले में जयकोंडम में लगभग 1168 करोड़ टन लिग्नाइट का भंडार ढूंढा गया है। मन्नारगुड़ी तथा वीरानाम के पूर्वी क्षेत्र में क्रमशः 2277.7 करोड़ टन और 134.245 करोड़ टन लिग्नाइट के भंडार होने का अनुमान है। लिग्नाइट भंडारों का राजस्थान, गुजरात, जम्मू कश्मीर और केरल में भी पता लगाया गया है, जहाँ क्रमशः 295.4 करोड़ टन, 177.0 करोड़ टन, 12.8 और 10.8 करोड़ टन लिग्नाइट के भंडार हैं।

नेयवेली में नेयवेली निगम लिमिटेड ने लिग्नाइट भंडारों से लिग्नाइट का खनन कर देश में लिग्नाइट आधारित विद्युत् उत्पादन के क्षेत्र में अग्रणी स्थान प्राप्त किया है।

राजस्थान सरकार बीकानेर और बाड़मेर जिले में बरसिंगसर और पलाना लिग्नाइट भंडारों पर आधारित कुल 1,980 मेगावाट क्षमता के तीन तापघर परियोजनाओं के सफल कार्यान्वयन हेतु सक्रिय रूप से प्रयासरत है। अतः इन लिग्नाइट आधारित तापघरों से बिजली की कमी को दूर करने में सहायता मिलेगी।

तेल तथा प्राकृतिक गैस

तेल तथा प्राकृतिक गैस के उत्पादन तथा वितरण पर अब तक सरकार का नियंत्रण रहा है। सार्वजनिक क्षेत्र के उद्यम ओ०एन०जी० सी०, इंडियन ऑयल कॉरपोरेशन, हिंदुस्तान पेट्रोलियम, भारत पेट्रोलियम, ऑयल इंडिया आदि इस क्षेत्र में आए। जहाँ तक तेल खनन का प्रश्न है, ओ०एन०जी०सी० सबसे आगे है और इसका हिस्सा 92 प्रतिशत है।

भारत के तटवर्ती क्षेत्रों में 14.6 लाख वर्ग मीटर समुद्री क्षेत्र में 21 अरब टन खनिज तेल का भंडार है, जिसमें से 29 प्रतिशत को ही खनन योग्य बनाया जा सकता है। खनिज तेल का खनन हमारे देश में तेजी से हो रहा है। इसके साथ ही इस संपदा का भंडार तेजी से घट रहा है। एक अनुमान के अनुसार, देश में तेल का भंडार, बीस वर्ष के लिए तथा गैस का भंडार 30–35 वर्ष तक ही है।

देश में खनिज तेल एवं गैस की खपत भी बहुत तेजी से बढ़ रही है, जबकि उत्पादन खपत से बहुत ही कम है और बहुमूल्य विदेशी मुद्रा का एक बड़ा हिस्सा तेल के आयात करने में खर्च हो रहा है।

इस प्रकार ऊर्जा के खनिज स्रोतों पर अधिक समय तक निर्भर नहीं रहा जा सकता है। बढ़ते हुए औद्योगिकीकरण, यातायात और अन्य आधारभूत सुविधाओं में ऊर्जा की माँग निरंतर बढ़ रही है।

ऊर्जा के विभिन्न रूप

ऊर्जा के निम्नलिखित रूप हैं।

1. सौर ऊर्जा
2. यांत्रिक ऊर्जा
3. प्रकाशीय ऊर्जा
4. ध्वनि ऊर्जा
5. तापीय्र ऊर्जा
6. चुम्बकीय ऊर्जा
7. विद्युतीय ऊर्जा
8. गतिज ऊर्जा
9. स्थितिज ऊर्जा
10. रासायनिक ऊर्जा
11. नाभिकीय ऊर्जा
12. रासायनिक ऊर्जा

इन ऊर्जा के विविध रूपों में सौर ऊर्जा सूर्य से प्राप्त होती है। प्रकृति में ऊर्जा का एकमात्र मूल स्रोत सूर्य ही है। यजुर्वेद के अनुसार "**सूर्य आत्मा जगतस्थुषश्च**"। अर्थात् ऊर्जा का उद्गम ही सूर्य है। उसी से सभी पदार्थों में ऊर्जा की विविध प्रकार की उत्पत्ति, संचरण, संभरण एवं वृद्धि आदि का कार्य होता रहता है। नाभिकीय ऊर्जा नाभिकीय ईंधन – यूरेनियम – 235 के विखंडीकरण से मिलती है। गतिज ऊर्जा तथा स्थितिज ऊर्जा क्रमशः किसी वस्तु की गति से और अपनी स्थिति (गुरुत्वाकर्षण) के अनुसार प्राप्त होती है। शेष सभी ऊर्जाओं के रूप यथा – तापीय, विद्युतीय चुम्बकीय और रासायनिक आदि परस्पर परिवर्तन से होते हैं। क्योंकि ऊष्मा गतिकी के प्रथम नियम के अनुसार, "ऊर्जा न तो उत्पन्न की जा सकती है और न ही इसे नष्ट किया जा सकता है"; केवल उसका एक प्रकार से दूसरे प्रकार में रूपांतर हो सकता है'। उदाहरण के तौर पर वनस्पति, पेड़–पौधे सौर ऊर्जा को अपने में अवशोषित कर उसे 'रासायनिक ऊर्जा' में परिवर्तित कर लेते हैं; जो उनके स्वयं की वृद्धि और आगे संचालन कार्य हेतु उपयोग में आती है। पशु जो इस वनस्पति में संरक्षित रासायनिक ऊर्जा का उपयोग करते हैं, वह उनके जीवन संचालन में काम आती है तथा शेष ऊर्जा को तापीय ऊर्जा तथा गतिज ऊर्जा में बदल देते हैं। सारांश रूप में जीवन की संपूर्ण प्रक्रिया ऊर्जा के रूपांतर, उपयोग, संग्रहण तथा स्थानांतरण पर आधारित है। और ऊर्जा का यह क्रम चलता रहता है जिससे प्राणी मात्र का जीवन गतिमय रहता है।

ऊर्जा के स्रोत

प्रमुखतः ऊर्जा के दो स्रोत हैं –

1. परम्परागत स्रोत 2. गैर परम्परागत या अपार स्रोत

1. परम्परागत स्रोत

हमारी पृथ्वी में उपस्थित एवं हमें प्राप्त होने वाले अधिकांश पारम्परिक स्रोत सीमित मात्रा में ही उपलब्ध है एवं एक लम्बे समय में प्राकृतिक प्रक्रियाओं से ही ये स्रोत विकसित होते हैं। यद्यपि भूमि में ये स्रोत निःशुल्क उपलब्ध है परन्तु इनका दोहन एवं इन्हें उपयोग

योग्य बनाने में लगने वाली प्रक्रिया के कारण ये स्रोत व्यावसायिक स्रोत भी कहलाते हैं। ऊर्जा के परम्परागत स्रोतों में लकड़ी, कोयला, तेल, पेट्रोल, प्राकृतिक गैस तथा परमाणु ऊर्जा को सम्मिलित किया गया है।

वस्तुतः हम हमारी सभी आवश्यकताओं की पूर्ति के लिए मूलरूप से इन स्रोतों पर ही निर्भर रहते हैं। यही कारण है कि मानव ने इन स्रोतों का अंधाधुंध दोहन शुरु कर दिया है। वैज्ञानिकों का यह मानना है कि ये स्रोत आगामी दो सदियों तक शायद ही हनारी ईंधन की माँग को पूरी कर सकेंगे। ऐसे में हमें प्राकृतिक या अपार स्रोतों से ऊर्जा प्राप्त करने के कारगर कदम उठाने होंगे।

भारत में प्रति व्यक्ति ऊर्जा की खपत लगभग 270 किलोवाट के तुल्य है, जबकि अमेरिका में यह 9402 किलोवाट, कनाड़ा में 14413 किलोवाट, जापान में 4908 तथा कोरिया में 3106 किलोवाट प्रति व्यक्ति है। इस प्रकार ऊर्जा के क्षेत्र में हम सम्पन्न राष्ट्रों की श्रेणी में अभी बहुत दूर हैं। हमारी बढ़ती हुई जनसंख्या जो कि छठे दशक में 50 करोड़ से कम थी, वर्तमान दशक में एक अरब दस लाख से अधिक हो गई चुकी हैं। इस कारण ऊर्जा की माँग पर निरंतर दबाव बना रहता है। समूचे राष्ट्र के समग्र विकास में ऊर्जा स्रोतों की एक महती भूमिका है, यही कारण है कि सभी क्षेत्रों में ऊर्जा की खपत निरंतर बढ़ रही है। सारणी–3 में देश में उपलब्ध ऊर्जा भंडार का विवरण दिया गया है।

सारणी–3. देश में उपलब्ध ऊर्जा भंडार

देश का भाग	कोयला एवं लिग्नाइट (बी.एम.टी.)	कच्चा तेल (एम.एम.टी.)	प्राकृतिक गैस (बी.एम.टी.)	पन बिजली (टी. डब्ल्यू)
उत्तर भारत	2.2	–	4	225.0
पश्चिमी भारत	47.9	609	547	31.4
दक्षिण भारत	37.2	–	–	61.8
पूर्वी भारत	138.2	–	–	42.5
उत्तर–पूर्वी भारत	0.8	156	156	239.3
कुल योग	226.3	765	707	600

उपर्युक्त सारणी से विदित होता है कि देश में जीवाश्म ईंधनों के भंडार बहुत सीमित है तथा कोयले के भंडार भी अक्षुण्ण नहीं है।

2. गैर परम्परागत या अपार स्रोत

वस्तुतः अपार, अपारम्परिक, गैर परम्परागत अथवा नवीकरणीय ऊर्जा स्रोत वे हैं जो प्रकृति ने हमें असीमित मात्रा में प्रदान किए हैं तथा ये स्रोत कभी भी समाप्त नहीं हो सकते हैं। ये स्रोत प्रत्येक स्थान पर उपलब्ध है एवं इनका दोहन मनुष्य चाहे उस स्थान पर कर सकता है। ये स्रोत हैं –

सौर ऊर्जा, पवन ऊर्जा, जैव ऊर्जा, भूगर्भ ऊर्जा, जल ऊर्जा, परमाणु ऊर्जा, नाभिकीय संलयन ऊर्जा, भू–तापीय ऊर्जा, हाइड्रोजन ऊर्जा, जैव ऊर्जा। वैज्ञानिकों के अनुसार इन पर आधारित प्रणालियाँ पर्यावरण स्नेही तथा प्रदूषण मुक्त भी हैं।

प्रकृति ने अपने चारों ओर अक्षय ऊर्जा या अपार ऊर्जा के भंडार बिखेर रखे हैं परन्तु पूर्व में हमारा ध्यान इनकी ओर नहीं गया। हमारे देश में प्राकृतिक ऊर्जा स्रोतों की उपलब्धता अत्यधिक है। पुनरोपयोगी ऊर्जा स्रोतों का महत्व हमारे देश में भी 1970 के दशक की शुरुआत में सगझा गया। सन् 1980 में केन्द्र सरकार ने ऊर्जा के वैकल्पिक स्रोतों की तरफ ध्यान देते हुए गैर परम्परागत ऊर्जा स्रोत विभाग की पृथक से स्थापना की और एक दशक पश्चात् यानी 1992 में केन्द्र सरकार ने भी अपारम्परिक ऊर्जा स्रोत मंत्रालय की स्थापना की। विश्व में भारत उन देशों में है जिसने ऊर्जा के वैकल्पिक स्रोतों के महत्व को जानते हुए पृथक मंत्रालय की स्थापना की है। तथा भारत अब पुनरोपयोगी ऊर्जा के बड़े कार्यक्रम चलाने वाले देशों में से एक है।

अपारम्परिक ऊर्जा स्रोत मंत्रालय अपारंपरिक ऊर्जा स्रोतों के दोहन के लिए विभिन्न सामग्रियों, संसाधनों व प्रणालियों के विकास में कार्यरत हैं। इस मंत्रालय में अनेक पुनरोपयोगी ऊर्जा प्रणालियां और उपकरण अब व्यावसायिक रूप से उपलब्ध हैं। इनमें बायोगैस, बायोमास, सौर ऊर्जा, पवन ऊर्जा, लघु पवन बिजली और उभरती प्रौद्योगिकी से संबंधित कार्यक्रम शामिल हैं।

हमारे देश में अपार या अपारंपरिक ऊर्जा स्रोतों की उपलब्धता अत्यधिक है। देश के अधिकांश भाग में सूर्य की गरमी लगभग 250 से 300 दिन मिलती है तथा हमारे समुद्री तट पर तीव्र वायु वेग उपलब्ध है। गुजरात के अकेले कांडला एवं मांडवी समुद्र तट पर लगभग 100 कि.मी. तथा इससे अधिक वेग पर पवन ऊर्जा उपलब्ध है जो कि कुल 5000 मेगावाट विद्युत् उत्पन्न करने में सक्षम है। इसी प्रकार सघन वनों से, पशुपालन से एवं कृषि से उपलब्ध जैव सामग्री की बहुतायत है। इन सबका उपयोग हम ऊर्जा उत्पादन में कर सकते हैं। पारंपरिक और अपारंपरिक ऊर्जा स्रोतों की तुलना सारणी–4 में वर्णित की गई है।

सारणी 4. पारंपरिक एवं अपारंपरिक ऊर्जा स्रोतों की तुलना

क्र.सं.	पारंपरिक	अपारंपरिक
1	पृथ्वी में सीमित मात्रा में स्थित है।	ये सभी प्राकृतिक स्रोत हैं, जैसे सूर्य, वायु, जैविक पदार्थ।
2	ये स्रोत निश्चित स्थानों पर एकीकृत रूप में उपलब्ध है।	ये स्रोत प्रकृति में एक धारा के रूप में उपलब्ध है।
3	ये अधिक तीव्र होते हैं। इनकी ऊर्जा उत्पादन क्षमता 110 कि.वा. प्रति वर्ग मीटर तक हो सकती है।	ये कम तीव्रता वाले स्रोत हैं। इनकी ऊर्जा उत्पादन क्षमता 300 वाट प्रति वर्गमीटर तक हो सकती है।
4	इन स्रोतों का निश्चित समय तक ही दोहन किया जा सकता है। इसके बाद ये समाप्त हो जाएंगे।	ये स्रोत असीमित हैं एवं कभी भी समाप्त नहीं होंगे।
5	इनकी दर अधिक होती है।	ये स्रोत बिना किसी शुल्क के उपलब्ध है।
6	इन स्रोतों को ऊर्जा में आसानी से परिवर्तित, स्थानांतरित एवं वितरित किया जा सकता है।	इन स्रोतों का परिवर्तन, स्थानांतरण व वितरण जटिल है।
7	इन स्रोतों में काम आनेवाले ऊर्जा उत्पादन के उपकरणों की लागत अधिक नहीं है।	इन स्रोतों के ऊर्जा उत्पादन के उपकरणों की लागत अधिक है।
8	मुख्यतया ये स्रोत शहरों, कृषि, कल–कारखानों आदि के लिए उपयोगी है।	ये स्रोत ग्रामीण व घरेलू स्तर पर अधिक उपयोगी है।

9	इन स्रोतों में ऊर्जा उत्पादन उपलब्ध ईंधन पर निर्भर करता है, जिसका दूरस्थ स्थानों से आयात किया जाता है।	इन स्रोतों में ऊर्जा उत्पादन हेतु ईंधन की आवश्यकता नहीं होती है अथवा ये उसी स्थान पर उपलब्ध होते हैं।
10	इन स्रोतों से प्रदूषण व अन्य खतरे बने रहते है।	ये पर्यावरण मित्र होते हैं तथा इनसे किसी भी प्रकार का खतरा नहीं होता है।
11	ये स्रोत महंगे हैं परन्तु इनके उत्पादन की लागत अधिक नहीं है।	ये स्रोत निःशुल्क हैं किन्तु इनका उत्पादन खर्चीला है।

ऊर्जा के विभिन्न स्रोतों को चित्र–1 में दर्शाया गया है।

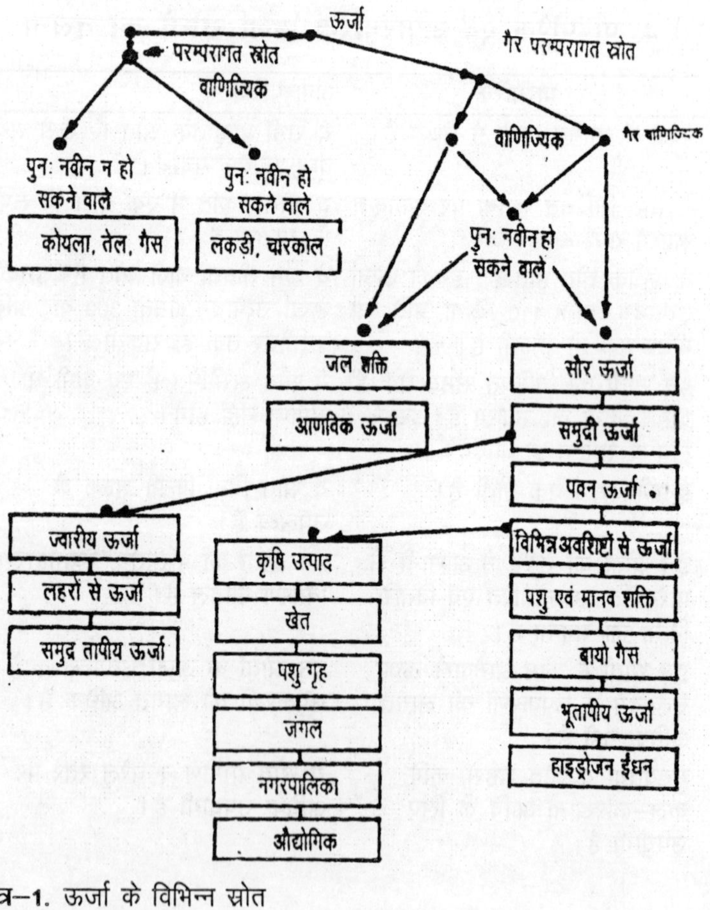

चित्र–1. ऊर्जा के विभिन्न स्रोत

ऊर्जा का महत्व, संकट एवं प्राकृतिक ऊर्जा स्रोत

पृथ्वी पर सभी जीवित प्राणियों और वस्तुओं के अस्तित्व बनाये रखने के लिए ऊर्जा न केवल आवश्यक ही है वरन् उनकी प्रगति तथा वृद्धि में भी इसका योगदान है। मनुष्य की सभी आवश्यकताओं की पूर्ति तथा उनका उचित उपयोग बिना ऊर्जा के संभव नहीं है। वस्तुतः उठना–बैठना, आना–जाना, खाना–पीना, मनोरंजन, आवागमन के साधन, सुख–सुविधाओं का उपयोग आदि सभी कार्यकलापों के लिए ऊर्जा की आवश्यकता होती है।

ऊर्जा की खपत के मुख्य क्षेत्र निम्नवत् हैं –

1. घरेलू, 2. कृषि, 3. यातायात, 4. उद्योग

वर्तमान में ऊर्जा केवल आवश्यकता के लिए ही नहीं वरन् आज वह देशों की समृद्धता मापने का मापदंड भी बन गई है। क्योंकि अधिक ऊर्जा का उपयोग अधिक आर्थिक समृद्धता को परिलक्षित करता है। आर्थिक सम्पन्नता ही किसी भी देश की विकास की छवि को विश्व पटल पर उजागर करती है। जैसे–अमेरिका जैसा विकसित देश पूरे विश्व की ऊर्जा का तीन चौथाई (लगभग 80%) अपने ऊपर खर्च करता है, जबकि उसकी जनसंख्या, पूरे विश्व की जनसंख्या का मात्र (5%) है। इसके विपरीत विश्व में ऐसे देश भी हैं, जहाँ इतनी विपन्नता है कि वे अपनी न्यूनतम ऊर्जा की आवश्यकताओं की पूर्ति भी नहीं कर पाते हैं।

ऊर्जा संकट

ऊर्जा संकट विश्वव्यापी समस्या है। इसके निम्नांकित कारण हैं।

1. निरंतर बढ़ती जनसंख्या,
2. मानव की भौतिक एवं भोगवादी प्रवृति में वृद्धि,
3. एकल परिवहन व्यवस्था,
4. जीवाश्म ईंधनों में कमी,
5. ऊर्जा का आदतन दुरुपयोग–घरों, कार्यालयों एवं सामाजिक स्थलों में खाली कमरों में बिजली जलती है, पंखे व कूलर चलते रहते हैं और कहीं–कहीं पर ए.सी. भी चला दिए जाते हैं।

6. कृषि में दुरुपयोग,
7. बिजली की चोरी,
8. औद्योगिकी क्षेत्र में अधिक अपव्यय,
9. ऊर्जा के प्राकृतिक स्रोतों के उपयोग में कम रुझान तथा
10. ऊर्जा शिक्षा का अभाव

प्राकृतिक या गैर परम्परागत ऊर्जा स्रोतों की अवधारणा

सारणी–3 के द्वारा वर्णित किया जा चुका है कि कोयला, तेल और प्राकृतिक गैस के भंडार चिर स्थाई नहीं है। यद्यपि उद्योग, कृषि, घरेलू उपभोग, परिवहन आदि सभी क्षेत्रों को गतिमान बनाए रखने में अभी तक बिजली, कोयला एवं पेट्रोलियम ने महत्वपूर्ण योगदान दिया है। परन्तु जिस द्रुत गति से विश्व की जनसंख्या बढ़ रही है, उतनी ही तेजी से ऊर्जा की खपत भी हो रही है और उसी के अनुरूप कोयला, पेट्रोलियम प्राकृतिक गैस एवं कार्बनजनित पदार्थों के भंडार भी समाप्त होने के कगार पर है।

इन स्रोतों से प्राप्त ऊर्जा का एक सामान्य पहलू यह है कि इन परियोजनाओं के लिए बड़े पैमाने पर पूंजी निवेश की आवश्यकता है, जो विकासशील देशों के लिए बहुत बड़ी कठिनाई है। इसके अतिरिक्त पारम्परिक ऊर्जा स्रोतों के अत्यधिक उपयोग के कारण पर्यावरण को भी गंभीर खतरा उत्पन्न हो गया है। प्रदूषणजन्य रोगों के बढ़ने से मानव का शारीरिक एवं मानसिक स्वास्थ्य भी दुष्प्रभावित हो रहा है।

स्वतंत्रता के पश्चात् भारत में कुल ऊर्जा खपत 1953–54 में 186.3 मिलियन टन कोल रिप्लेसमेंट (mtcr) थी जो 25 वर्ष में 492.3 एमटीसीआर यानी ढाई गुना बढ़ गई और वर्ष 2001 में 1182 एमटीसीआर हो गई और उसके बाद निरंतर द्रुत गति से बढ़ रही है।

ऊर्जा के परंपरागत तौर पर उपलब्ध सभी रूप सामान्यतः ऊर्जा के संकेन्द्रित रूप है। यद्यपि ग्रामीण क्षेत्रों में संकेन्द्रित ऊर्जा के रूपों का वितरण संभव है, परन्तु इस प्रकार के वितरण की लागत बहुत अधिक है। कच्चे तेल की कीमतों में उत्तरोत्तर हो रही वृद्धि के कारण

पूरे विश्व में अपार ऊर्जा स्रोतों अथवा गैर परम्परागत ऊर्जा स्रोतों के विकास तथा प्रोत्साहन की आवश्यकता प्रतिपादित की गई है।

पर्यावरण संरक्षण की दृष्टि से ऊर्जा के गैर परम्परागत या प्राकृतिक स्रोतों का महत्व और भी अधिक बढ़ गया है। सौर ऊर्जा, पवन ऊर्जा, जैव ऊर्जा तथा लघु पनबिजली योजनाओं से पर्यावरण प्रदूषण की समस्या उत्पन्न नहीं होती है। इस कारण हमारे लिए इन साधनों का प्रयोग करना और भी महत्वपूर्ण हो जाता है। अपार या गैर–परम्परागत साधनों से ऊर्जा उत्पन्न करके भविष्य की बढ़ती हुई आवश्यकताओं को भी पूरा करने में बहुत सहायता मिलेगी। निस्संदेह ऊर्जा उत्पादन, आपूर्ति और उपभोग के लिए कुशल प्रौद्योगिकी का विकास भी जरूरी है।

भारत की विश्व ऊर्जा में खपत 1.5 प्रतिशत से अधिक हो जाने के बाद यहाँ उत्पादन की संभावनाएं भी बढ़ी हैं। इसके अतिरिक्त भारत में इन गैर–परम्परागत स्रोतों से देश के प्राप्त महज एक प्रतिशत विद्युत् के विस्तार की संभावनाएं भी व्यापक हैं। ऊर्जा के अपार या गैर–परम्परागत, वैकल्पिक, नए एवं फिर से उपयोग में लाने वाले स्रोतों जैसे – सौर, पवन, बायोमास आदि के व्यापक प्रचार –प्रसार हेतु भारत सरकार का गैर–परम्परागत ऊर्जा स्रोत मंत्रालय भी महती भूमिका निभा रहा है। वर्ष 2005 तक इसकी कुल क्षमता 7000 मेघावाट तक पहुँच चुकी है जो देश भर की कुल क्षमता का लगभग 7 प्रतिशत है।

भारत में उपभोग की जा रही ऊर्जा का 60 प्रतिशत ईंधन गोबर जैसे अव्यावसायिक स्रोतों से प्राप्त होता है। वर्तमान शताब्दी में ऊर्जा के परम्परागत स्रोतों तथा गैर–परम्परागत स्रोतों का परस्पर अनुपात कई कारकों पर निर्भर करेगा। विश्व में ऊर्जा की माँग में कुल वृद्धि, बदलते लक्ष्य, पर्यावरण संबंधी चिन्ताएं और ऊर्जा प्राप्ति की प्रौद्योगिकियाँ आदि कुछ ऐसे तत्त्व हैं जो इस अनुपात का निर्धारण कर सकते हैं। कालांतर में प्राकृतिक, अजीवाश्मीय तथा पुनःप्रयोजित ऊर्जा स्रोतों की ही महत्त्वपूर्ण भूमिका रहेगी।

ऊर्जा के गैर परम्परागत स्रोतों में व्यापक संभावनाएं परिलक्षित हो रही हैं। हमारे देश में प्रत्येक वर्ष कृषि उत्पादों से लगभग 30 करोड़ टन बेकार पदार्थ निकलते हैं और इसमें से बहुत कम अंश को

ऊर्जा के रूप में काम में लिया जाता है। इसी प्रकार यदि हम वायु से मिलनेवाली ऊर्जा का मापन करके अवलोकन करे तो इससे भी लगभग 20,000 मेगावाट पवन–ऊर्जा प्राप्त की जा सकती है। हमारे देश में 7500 किलोमीटर लंबी समुद्री तट रेखा है, जहाँ समुद्र की लहरों से 40,000 मेगावाट बिजली प्राप्त की जा सकती है। हमारे देश के सभी राज्यों ने सौर एवं पवन ऊर्जा के अधिकाधिक उपयोग के कार्यक्रम बनाए हैं।

भारतवर्ष अब, इस क्षेत्र में विशेष रूप से विकासशील देशों, जहाँ सदृश स्रोत स्थितियाँ तथा आवश्यकताएँ विद्यमान हैं, में अपनी तकनीकी विशेषज्ञता तथा सेवाएँ उपलब्ध कराने की स्थिति में है। बायोगैस संयंत्र के निर्माण के लिए विकासशील देशों को तकनीकी दिशा निर्देश तथा सहायता प्रदान की गई है। वर्तमान में भारत के एक सार्वजनिक क्षेत्र का उद्यम सीरिया में 0.5 मेगावाट क्षमता प्रतिवर्ष सौर प्रकाश वोल्टीय उत्पादन श्रृंखला की स्थापना कर रहा है। स्विट्‌जरलैंड में एक निजी कंपनी को बायोमास गैसीफायर बनाने के लिए तकनीकी जानकारी प्रदान की गई है।

यह हर्ष का विषय है कि भारत के वैज्ञानिक तथा इंजीनियरों ने यू.एन.डी.पी., यूनेस्को, यूनिडो जैसी विभिन्न यू.एन. एजेंसियों तथा ऐसे ही अन्य संगठनों के माध्यम से अपारंपरिक ऊर्जा के विभिन्न पहलुओं पर परामर्शी सेवाएं सुलभ करवाई है।

अपारंपरिक ऊर्जा स्रोत मंत्रालय के कार्यकलाप

इस महत्त्वपूर्ण मंत्रालय के कार्यकलाप निम्नांकित हैं।

- अनुसंधान एवं विकास के कार्यकलापों को अपनी सुविधाओं तथा विभिन्न वैज्ञानिकों/तकनीकी संस्थाओं के माध्यम से प्रारंभ करना तथा उनकी सहायता करना।
- तकनीकी जानकारी के द्वारा प्रणालियों तथा उपकरणों के विनिर्माताओं की सहायता करना।
- कच्ची सामग्रियों तथा उत्पादों की जांच और प्रमाणीकरण के लिए सुविधाएं उपलब्ध कराना।
- नई विकसित प्रणालियों और उपकरणों के प्रदर्शन का काम करना जिससे प्रतिसूचना (फीड बैक) के आधार पर उनकी

प्रभावकारिताओं की मॉनीटरिंग और उन्नयन का काम हो सके।

- देश में राज्य सरकारों, नोडल एजेंसियों, तकनीकी बैक–अप यूनिटों, स्वयंसेवी संगठनों तथा क्षेत्रीय कार्यालयों के सहयोग से कार्यान्वयन के लिए नीति और कार्यक्रम बनाना।
- प्रौद्योगिकी के उन्नयन के लिए वैज्ञानिक संस्थाओं, अनुसंधान संगठनों जैसे विश्वविद्यालयों, भारतीय प्रौद्योगिकी संस्थानों आदि को वित्तीय सहायता उपलब्ध कराना।
- एन.आर.एस.ई. उपकरणों को तेजी से अपनाने के लिऐ प्रेरित करने वाल़े विनिर्माताओं तथा उपयोगकर्त्ताओं को वित्तीय प्रोत्साहन तथा अर्थिक सहायता उपलब्ध कराना।
- भारतीय अक्षय ऊर्जा विकास संस्था (इरेहा) के माध्यम से विनिर्माताओं तथा व्यापारियों को रियायती शर्तों पर वित्तीय सहायता उपलब्ध कराना।
- उभरती हुई एन.आर.एस.ई. प्रौद्योगिकियों के प्रयोग और लाभों के संबंध में सूचना का प्रचार–प्रसार तथा जन जागरूकता उत्पन्न करना।
- एन. आर. एस. ई. प्रौद्योगिकियों का अंतरण करके अंतरराष्ट्रीय सहयोग को बढ़ावा देना।

पंचवर्षीय योजना में अपार ऊर्जा को प्रोत्साहन

भारत के योजना निर्माताओं ने अपारंपरिक ऊर्जा स्रोतों को प्रोत्साहित करने तथा इनके समुचित दोहन से देश की ऊर्जा समस्या को हल करने हेतु देश की पंचवर्षीय योजना में निम्नांकित मुद्दों पर मुख्य रूप से ध्यान आकर्षित किया है।

(i) नवीनीकरण ऊर्जा संयंत्रों के माध्यम से बृहतस्तर पर विद्युत् का उत्पादन।

(ii) विकसित संयंत्रों, जैसे–उन्नत चूल्हे, सोलर कुकर और जल तापक संयंत्र का मानवीकरण कर व्यापक प्रचार–प्रसार।

(iii) संयंत्रों पर प्रदत्त अनुदान को नियोजित रूप से कम करना और उनके विपणन को बढ़ावा देना।

(iv) इन संयंत्रों के प्रति जनमानस में व्यापक अभिरुचि को विकसित करना।

देश में नियोजित आर्थिक विकास के बृहत प्रारूप में पुनः प्रयोग में हो सकने वाले स्रोतों से ऊर्जा प्राप्त करने के कार्यक्रमों को उच्च प्राथमिकता देने हेतु यथासंभव प्रयास किए जा रहे हैं। विशेषतः सौर ऊर्जा और जैव-ऊर्जा के अधिकाधिक उपयोग पर बहुत ध्यान दिया जा रहा है।

भारत की भौगोलिक संरचना में लगभग 18,000 ऐसे गाँव हैं, जहाँ पॉवर ग्रिड की बिजली पहुँचाना बहुत कठिन है। अतः इन दोनों क्षेत्रों में सौर ऊर्जा द्वारा ही बिजली पहुँचाकर उनके जीवन को सुगम और सुखमय बनाया जा सकता है। ग्रामीण घरों में रोशनी के साथ-साथ जीवन रक्षक दवाओं का नियंत्रित ताप द्वारा संरक्षण, आधुनिक संचार माध्यमों तथा अनेक ग्रामीण आवश्यकताओं के लिए सौर ऊर्जा की विशेष उपयोगिता है।

तमिलनाडु, गुजरात, आंध्रप्रदेश, राजस्थान आदि राज्यों ने पवन ऊर्जा के विकास को बढ़ावा देने हेतु अनेक उपाय किए हैं, जिसके फलस्वरूप इस क्षेत्र में निजी भागीदारी भी बढ़ी है।

भारत में भूतापीय ऊर्जा की प्राप्ति की व्यापक संभावनाएँ हैं, क्योंकि देश में गरम भूगर्भीय स्रोत वाले 340 स्थान हैं। इसी प्रकार समुद्री ऊर्जा भी पुनः प्रयोग हो सकने वाली ऊर्जा का अच्छा स्रोत है। बायोमास, बायोगैस तथा अपशिष्ट से ऊर्जा प्राप्त करने हेतु अनेकानेक कार्यक्रम हमारे देश में चलाए जा रहे हैं।

दसवीं योजना में अपार ऊर्जा/अक्षय ऊर्जा कार्यक्रम

भारत की लगभग 73 प्रतिशत जनसंख्या छह लाख गाँवों में निवास करती है। अपारंपरिक ऊर्जा स्रोत मंत्रालय इनमें नवीकरणीय ऊर्जा उत्पाद तथा उपकरण-जैसे बायोगैस संयंत्र, सौर थर्मल प्रणाली, फोटोवोल्टिक उपकरण, बायोमास गैसीफायर के प्रयोग के लिए कार्यक्रमों को सहायता प्रदान कर रहा है। दसवीं योजना के दौरान दूरस्थ ग्राम विद्युतीकरण, ग्राम ऊर्जा सुरक्षा परीक्षण परियोजनाएं तथा बायोगैस विद्युत् उत्पादन कार्यक्रम शुरु किए गए थे। ये कार्यक्रम 11वीं योजना में भी जारी रहेंगे।

ऊर्जा के वैकल्पिक स्रोत पर केन्द्रीय नीति एवं उपलब्धियां

अपारंपरिक ऊर्जा मंत्रालय की ओर से विश्व के सबसे बड़े कार्यक्रम का क्रियान्वयन किया जा रहा है। इसके उद्देश्य निम्नलिखित हैं।

(i) विद्युत् सृजन की कुल स्थापित क्षमता में पुनरुपयोगी ऊर्जा स्रोत की हिस्सेदारी में उत्तरोत्तर वृद्धि।

(ii) ग्रामीण तथा सुदूर क्षेत्रों के लिए ऊर्जा संबंधी विभिन्न आवश्यकताओं की पूर्ति करना।

(iii) सागर, रासायनिक तथा भू–तापीय स्रोतों के अलावा औद्योगिक एवं शहरी कूड़ा–करकट से ऊर्जा उत्पादन करना।

(iv) ग्रामीण महिलाएँ विगत सैकड़ों वर्षों से दूर–दूर से गोबर एकत्रित करती हैं और सूखे गोबर का जलावन के रूप में उपयोग करती हैं। वस्तुतः यह उबाऊ होने के साथ–साथ स्वास्थ्य के लिए भी अनुकूल नहीं है। अतः ऐसी गतिविधियों को रोकने हेतु ठोस उपाय करना।

अपारंपरिक ऊर्जा स्रोत मंत्रालय के वार्षिक प्रतिवेदन के अनुसार, इस कार्यक्रम का ध्येय परम्परागत ऊर्जा के लिए विकल्प तैयार करना ही नहीं वरन् समस्त जनसंख्या की ऊर्जा संबंधी अतिरिक्त आवश्यकताओं की पूर्ति करना है। मंत्रालय की सोच है कि वर्ष 2012 तक अपारंपरिक ऊर्जा की स्थापित क्षमता बढ़कर दोगुनी हो जाएगी और इसके पूर्व शत–प्रतिशत गाँवों का विद्युतीकरण कर दिया जाएगा। इसके लिए कोयला तथा जल विद्युत् क्षेत्र में 8 लाख करोड़ रुपये का निवेश किया जाना है। इसके साथ ही 10 प्रतिशत गैर पारंपरिक ऊर्जा का लक्ष्य निम्न प्रकार से पूरा किया जाएगा।

पवन ऊर्जा से 6 हजार, बायोमास से 2000 मेगावाट तथा लघु पन बिजली परियोजनाओं से 2000 मेगावाट।

यह मंत्रालय इस क्षेत्र में अनुसंधान एवं विकास को भी बढ़ावा दे रहा है, पुनरुपयोगी प्रौद्योगिकी के व्यक्तिगत तथा निजी क्षेत्र में प्रयोग के लिए पूंजी एवं ब्याज दोनों में सब्सिडी दी जा रही है। इसके अतिरिक्त पुनरुपयोगी ऊर्जा प्रौद्योगिकी पर निवेश करने वाले

प्रतिष्ठानों के लिए शत–प्रतिशत त्वरित अवमूल्यन की स्वीकृति प्रदान की गई है। पुनरुपयोगी ऊर्जा प्रौद्योगिकी पर अतिरिक्त समर्थन प्रदान करे के लिए देश के विभिन्न भागों में टेक्नीकल बैक–अप यूनिटों की स्थापना की गयी है। इन यूनिटों के माध्यम से पुनरुपयोगी ऊर्जा प्रौद्योगिकी पर काम करने वाली स्थानीय एजेन्सियों को प्रोत्साहन एवं प्रशिक्षण दिए जाते हैं। पुनरुपयोगी ऊर्जा कार्यक्रमों को अत्यधिक धन उपलब्ध कराने के उद्देश्य से भारतीय पुनरुपयोगी ऊर्जा–विकास एजेन्सी की स्थापना की गयी है। साथ ही इस क्षेत्र में निजी तथा प्रत्यक्ष विदेशी निवेश को बढ़ावा देने हेतु भी नयी नीति में पहल की गई है।

अपारंपरिक ऊर्जा स्रोत मंत्रालय द्वारा देश के पूर्वोत्तर क्षेत्र में एक विशेष कार्यक्रम चलाया जा रहा है। इस क्षेत्र के लिए योजनागत राशि का 10 प्रतिशत अंश विशेष सब्सिडी के तौर प्रदान किया गया है एक अन्य कार्यक्रम के तहत केन्द्र के 90 प्रतिशत अनुदान से कॉरगिल तथा लद्दाख क्षेत्र नें भी विद्युतीकरण का कार्य चलाया जा रहा है। विश्व में भारत ही एक मात्र ऐसा देश है, जहाँ अपारंपरकि ऊर्जा के क्रियान्वयन के लिए अलग से एक स्वतंत्र मंत्रालय का गठन किया गया है।

गैर परम्परागत ऊर्जा–क्षेत्र में पाँच वर्षो में जितना निवेश होता है, वह बिजली बोर्डों के एक वर्ष के घाटे का 10 प्रतिशत से भी कम होता है। देश के तत्कालीन राष्ट्रपति डॉ० ए०पी०जे० कलाम जो अंतरराष्ट्रीय ख्याति प्राप्त वैज्ञानिक भी है, ने भी बढ़ते विद्युत् संकट पर चिन्ता व्यक्त की। उनके सुझाव से अपार ऊर्जा की प्रगति में नया अध्याय जुड़ा है। भारत सरकार ने 20 अगस्त 2005 को पूर्व प्रधानमंत्री स्व० राजीव गाँधी के जन्म दिवस को “अक्षय ऊर्जा दिवस” के रूप में मनाने की शुरुआत कर इस ऊर्जा के विकास में अपनी अभिरुचि प्रकट की है।

हमारे देश में विद्यमान अक्षय ऊर्जा स्रोतों के भंडारों का यदि सचमुच दोहन किया जाए तो इससे देश की बढ़ती जनसंख्या की बिजली की जरूरतें आसानी से पूरी हो सकती है। वर्तमान में जिस तरीके से अक्षय ऊर्जा स्रोतों का दोहन एवं विकास पर ध्यान दिया जा रहा है तथा कालांतर में भी इसी गति से दोहन अनुसंधान एवं

विकास चलता रहा तो निश्चय ही ऊर्जा के क्षेत्र में नई क्रांति का सूत्रपात हो सकेगा। वस्तुतः ग्रामीण क्षेत्रों में बिजली संकट को दूर करने में अक्षय ऊर्जा पूरी तरह से सक्षम है। वैज्ञानिकों के अनुसार इस क्षेत्र में एक लाख मेगावाट तक विद्युत् उत्पादन किया जा सकता है।

भारत में फोटोवोल्टिक प्रणानी से बिजली पैदा कर ग्रामीण जीवन को बेहतर बनाया जा रहा है। गैर–परंपरागत ऊर्जा स्रोत मंत्रालय के अनुसार, देश में 32 सौर फोटोवोल्टिक ऊर्जा संयंत्र सरकारी वित्तीय सहायता से स्थापति किए गए हैं। ये संयंत्र प्रतिवर्ष 2.5 मिलियन यूनिट विद्युत् का उत्पादन करेंगे। भारत में सौर ऊर्जा की बढ़ती ग्रामीण उपयोगिता ने भविष्य में इस तकनीक के सस्ते होने के संकेत भी दिए हैं। सौर जल ऊष्मक, सौर कुकर, कार्ड बोर्ड सौर कुकर, डिश सौर कुकर, सामुदायिक सौर कुकर, सौर वाष्प कुकिंग प्रणाली जैसे आविष्कृत क्षेत्र और प्रणाली भी इस दिशा में उपयोगी सिद्ध हो रहे हैं।

पवन ऊर्जा के उत्पादन में भारत 3000 मेगावाट से अधिक विद्युत् उत्पादन का एशिया का सबसे बड़ा वायु ऊर्जा उत्पादक देश बन चुका है। विश्व का चौथा सबसे बड़ा उत्पादक हमारा देश मात्र जर्मनी, अमेरिका और स्पेन से पीछे है। इतना ही नहीं, जर्मनी, अमेरिका, भारत, डेनमार्क और स्पेन मिलकर विश्व के पवन विद्युत् ऊर्जा उत्पादन क्षमता का 80 प्रतिशत उत्पादन करते हैं। भारत का इसमें योगदान लगभग 11 प्रतिशत है। देश में कुल उत्पादित पवन ऊर्जा में 99 प्रतिशत का योगदान तमिलनाडु, कर्नाटक, आंध्रप्रदेश, राजस्थान, महाराष्ट्र, गुजरात तथा मध्यप्रदेश जैसे राज्यों का है जिसमें तमिलनाडु का सर्वाधिक 60 प्रतिशत योगदान है। विगत वर्षों में आस्ट्रेलिया के बाद भारत और चीन ऐसे देश हैं जहाँ पवन ऊर्जा उत्पादन में 20 प्रतिशत की वृद्धि हुई है।

वर्ष 2006 में भारत सरकार के गैर पारंपरिक ऊर्जा स्रोत मंत्रालय को "विश्व वायु ऊर्जा" पुरस्कार से सम्मानित किया गया है।

जीवाश्म ईंधनों के सीमित भंडारों को देखते हुए बायोडीजल को डीजल का बिकल्प ढूंढा गया है। इसमें रतनजोत या जेट्रोफा के बीज की महती भूमिका है। जेट्रोफा के बीज को ट्रांस–एस्टेरिफिकेशन

क्रिया से गुजारा जाता है, जिसे प्राप्त अंतिम उत्पाद को 'बायोडीजल' कहते है। एक अनुमान के अनुसार देश में वर्ष 2012 तक 88 टन बायोडीजन का उत्पादन होने लगेगा; जो देश में डीजल की कुल माँग का 41.4 प्रतिशत पूर्ति करेगा। रतनजोत का पौधा न केवल बायोडीजल ही देता है वरन् कार्बन डाइ ऑक्साइड का भी अधिकाधिक अवशोषण करता है।

कार्बन अपशिष्ट पदार्थ जैसे गोबर, हरा बायोमास, कृषि अपशिष्ट, नगरपालिका अपशिष्ट, औद्योगिक अपशिष्ट आदि वायु की अनुपस्थिति में किण्वन होने से उत्पन्न होता है 'बायोगैस'। यह पर्यावरण स्नेही ऊर्जा स्रोत है। बायोगैस संयंत्र महिलाओं के लिए वरदान सिद्ध हुआ है। स्वास्थ्य सर्वेक्षण प्रतिवेदन के अनुसार बायोगैस संयंत्र से आंखें और फेफड़ों की बीमारियों में क्रमशः 27.5 प्रतिशत एवं 14.5 प्रतिशत की कमी आई है। बायोगैस, जो कि संयंत्र तक ही सीमित है, परन्तु कालांतर में इनकी बॉटलिंग प्रक्रिया शुरु हो जाती है तो इस ऊर्जा का व्यवसायीकरण भी होगा। इसके फलस्वरूप ग्रामीण जीवन में न केवल स्थायित्व ही होगा वरन् वे स्वावलंबन की ओर अग्रसर होंगे।

शहरी कचरे से भी बिजली उत्पादन का कार्यक्रम अपरम्परागत ऊर्जा स्रोत मंत्रालय ने शुरु किया है। संयुक्त राष्ट्र विकास कार्यक्रम तथा भारत सरकार के संयुक्त अध्ययन के अनुसार प्रतिवर्ष भारत में 3 करोड़ टन ठोस कचरा तथा 440 करोड़ टन तरल कचरा उत्पन्न हो रहा है। इन स्रोतों से 1700 मेगावाट ऊर्जा उत्पादन संभव है। औद्योगिक अपशिष्टों से भी प्रतिवर्ष एक हजार मेगावाट बिजली पैदा की जा सकती है। विभिन्न राज्यों में ऐसी 27 परियोजनाएं पूरी हो चुकी है तथा अनेक पर कार्य जारी है। बिजली संकट से निपटने में इसी क्रम में चीनी मिलों में बगास (खोई) से भी व्यावसायिक बिजली उत्पादन को अपनाया गया है। तथा इसे भी 21वीं सदी का बिजली का नया क्रांतिकारी स्रोत माना जा रहा है। पांडिचेरी, गुजरात और केरल आदि राज्यों में अभी तक बायोमास ऊर्जा के उपयोग का परिदृश्य दूसरे राज्यों के लिए अनुकरणीय है।

ऐसा आभास किया जा रहा है कि भारत से कोयला 2050 तक बहुत कम हो जाएगा। अतः हमें गैर–परम्परागत ऊर्जा स्रोतों में

परमाणु ऊर्जा की ओर भी ध्यान देना होगा। इस संबंध में भारत ने अमेरिका से हाल ही में एक समझौता भी किया है। इस समझौते के तहत जहाँ भारत अपनी ऊर्जा आवश्यकताओं की पूर्ति करेगा, वहीं उसे नाभिकीय सुरक्षा हासिल करने में बहुत सहायता मिलेगी। वर्ष 2012 तक अनुमानित आवश्यकताओं को पूरा करने के लिए अगली दो पंचवर्षीय योजनाओं के दौरान 10,000 मेगावाट अतिरिक्त विद्युत् क्षमता बढ़ाने की आवश्यकता है जिसे दसवीं योजना के दौरान 41,110 मेगावाल्ट तथा शेष ग्यारहवीं योजना के दौरान पूरा किया जाएगा। ऊर्जा की आवश्यकताओं को पूरा करने के लिए और आत्मनिर्भर होने के लिए परमाणु ऊर्जा की प्राप्ति सकारात्मक कदम है। अतीत की उपलब्धियों के आधार पर ऊर्जा प्रौद्योगिकियों के भावी प्रसार का अनुमान सारणी–5 में दर्शाया गया है।

सारणी–5. अतीत उपलब्धियों पर वैकल्पिक ऊर्जा प्रौद्योगिकियों के भावी प्रसार का अनुमान (संख्या लाखों में)

वर्ष	सौर कुकर	चूल्हे	बायोगैस संयंत्र
2000	4.6	290.4	29.6
2010	7.1	394.2	37.6
2020	9.6	508.2	40.4
2030	12.0	612.9	41.3
2040	14.4	722.7	41.6
2050	16.8	803.4	42.0

समुद्री लहरों से ऊर्जा उत्पादन भी भारत ही नहीं विश्व भर में बहुत लोकप्रिय हो रहा है। वैज्ञानिकों के अनुसार समुद्री लहरों से प्रतिवर्ष 30 लाख मेगावाट बिजली उत्पन्न की जा रही है।

उत्तरांचल, हिमाचल एवं अन्य पर्वतीय राज्यों में भूमिगत गरम पानी के स्रोतों से भी बिजली पैदा करने की योजना पर अपारंपरिक ऊर्जा स्रोत मंत्रालय बहुत ध्यान दे रहा है। अकेले उत्तरांचल में इरेडा (भारतीय अक्षय ऊर्जा विकास संस्था) ने साठ से अधिक गरम पानी के भूमिगत स्रोतों को अक्षय ऊर्जा के नये केन्द्रों के रूप में चिह्नित किया

है। ये हैं – यमुनोत्री, जानकी चट्टी, बनास बाजरी व कोटी मानेप, भागीरथी घाटी में चौड़ी दूनी, अगोरा, गंगनानी, भुक्की, औगी, ज्हाया, मिलंगना घाटी में तांबाकंड, खरसाली व तुंजा, मन्दाकिनी घाटी में रामबरण, गौरीकुंड तथा बेड़ा, अलकनंदा घाटी में बद्रीनाथ कुंड, हनुमान चट्टी, गौरशिला, खिराब, गुलाबकोटी, लांगसी गढ़ी व लोनी तथा पिंडरघाटी में ऊंगिया में स्थित हैं। गरम स्रोतों की भाप से टरबाईन चलाकर बिजली उत्पन्न की जा सकती है।

बिजली सुधार अधिनियम – 2003 में भी अक्षय ऊर्जा स्रोतों के विकास पर केन्द्रीय सरकार बहुत गंभीर है। ग्यारहवीं पंचवर्षीय योजना में भी गैर–परम्परागत ऊर्जा स्रोतों से बिजली उत्पादन का लक्ष्य पाँच प्रतिशत से बढ़ाकर दस प्रतिशत यानी दुगुना करने तथा देश के सभी गाँवों में वर्ष 2012 तक बिजली पहुँचाना है।

भारत पुनरोपयोगी ऊर्जा के क्षेत्र में हर प्रकार की प्रौद्योगिकी से जुड़ा है, जिसमें लकड़ी से जलने वाले उन्नत चूल्हे, बायोगैस संयंत्र, बायोमास गैसीफायर्स, सौर ताप एवं फोटोवोल्टिक प्रणालियाँ, पवन चक्कियाँ, बायोमास आधारित सह उत्पादन, लघु पनबिजली प्रणालियाँ, शहरी और औद्योगिक कचरे से ऊर्जा प्राप्ति, भूतापीय ऊर्जा, हाइड्रोजन ऊर्जा, विद्युत् वाहन तथा जैव ईंधन शामिल हैं। ऊर्जा के पुनरोपयोगी उपकरणों और उनकी प्रणालियों की बिक्री को बढ़ावा देने तथा ऐसी प्रणालियों और प्रविधियों की मरम्मत एवं रखरखाव के उद्देश्य से 140 प्रमुख नगरों एवं कस्बों में अक्षय ऊर्जा दुकानें खोली गई हैं। इनमें से प्रत्येक क्षेत्र में संसाधन आकलन, अनुसंधान तथा विकास, प्रौद्योगिकी विकास एवं प्रदर्शन के कार्यक्रम चलाए जा रहे हैं। देश में उपलब्ध सौर पवन, बायोमास और लघुजल विद्युत् जैसे ऊर्जा के नवीकरणीय स्रोतों का लाभ उठाने की दिशा में अच्छी प्राप्ति हुई है।

देश के प्रधानमंत्री ने 27 जून 2008 को 'ऊर्जा समन्वय समिति' की बैठक की अध्यक्षता की थी। इसमें निर्णय किया गया कि एमएनआरई एक विस्तृत कार्य योजना बनाएगी, जिसमें राज्य संबंधी मुद्दे और ध्यान देने वाले क्षेत्रों जैसे– सौर ऊर्जा पर विशेष बल देते हुए नवीकरणीय ऊर्जा में परिणाम/उत्पादन आधारित अप–स्केलिंग, पणधारियों यथा – प्रयोगकर्त्ता आदि पर ध्यान तथा उनसे निपटने के

लिए रणनीतियाँ और नवीकरणीय ऊर्जा स्रोतों से होनेवाले उत्पादन के प्रतिशत को बढ़ाने जैसे मुद्दों को शामिल किया जायेगा। इस समय कुल विद्युत् उत्पादन में नवीकरणीय ऊर्जा स्रोतों की भागीदारी 8 प्रतिशत है। भारत के प्रधानमंत्री ने 30 जून 2008 को पर्यावरण परिवर्तन पर राष्ट्रीय कार्य योजना (एनएपीसीसी) शुरु की। इस योजना में आठ मिशन शामिल किए गए हैं, जिसमें से एक राष्ट्रीय सौर मिशन है। कार्य योजना में नवीकरण ऊर्जा के अन्य स्रोतों को प्रोत्साहन देने का भी उल्लेख किया गया है। विशिष्ट कार्यबिंदुओं में विस्तार को प्रोत्साहन, नवीकरण ऊर्जा प्रौद्योगिकियों में बुनियादी अनुसंधान, बायोमास का व्यावसायिक प्रसार और विकास की रुकावटों को दूर करना, जल विद्युत, सौर तथा पवन प्रौद्योगिकियाँ, लघु पवन जनरेटरों के निर्माण और विकास को प्रोत्साहन तथा राष्ट्रीय विद्युत् प्रणाली में नवीकरण ऊर्जा स्रोतों को शामिल करने के लिए नियंत्रक शुल्क व्यवस्था में वृद्धि शामिल हैं।

विगत दो दशकों में विभिन्न भागीदारों, जैसे – राज्यों की नोडल एजेंसियों, राज्य बिजली मंडलों, स्वयं सेवी संस्थाओं और उद्योगों आदि ने नवीकरणीय ऊर्जा परियोजनाओं की योजना बनाने तथा उनके कार्यान्वयन में पर्याप्त अनुभव अर्जित किया है। परन्तु आम आदमी को किफायत मूल्यों पर नवीकरणीय ऊर्जा उपलब्ध कराने की दिशा में बहुत कुछ कार्य करना शेष हैं। अतः ऐसे में यह जरूरी हो जाता है कि जीवाश्म ईंधन पर लोगों की निर्भरता कम करने तथा उन्हें नवीकरणीय ऊर्जा की क्षमता एवं विभिन्न प्रणालियों तथा उपकरणों की उपलब्धता के बारे में जानकारी देने हेतु आवश्यक कदम उठाए जाएं। अंतरराष्ट्रीय सौर ऊर्जा सोसायटी द्वारा "नवीकरणीय ऊर्जा भविष्य की ओर संक्रमण" विषय पर जारी श्वेत पत्र में कहा गया है – "नवीकरणीय ऊर्जा की दिशा में संक्रमण एक शहर के बाद दूसरे शहर, एक क्षेत्र के बाद दूसरे क्षेत्र तथा एक देश के बाद दूसरे देश में होगा। जब किसी स्थान पर नवीकरणीय संसाधनों के उपयोग में "क्रांतिक द्रव्यमान" वाली स्थिति आ जाएगी तो उस जगह यह प्रक्रिया चल पड़ेगी। यह मोड़ तब आएगा जब लोग, सरकार, विनियामक संगठन और वित्तीय समुदाय – सभी टेक्नोलॉजी से अवगत हो जाएंगे। नवीकरणीय ऊर्जा की दिशा में संक्रमण अभी शुरु हो जाना चाहिए। अगर ऐसा नहीं हुआ तो बहुत

देरी हो जाएगी। सरकारों, शहरों, कंपनियों और लोगों को इस दिशा में आगे बढ़ने में सहयोग करना चाहिए।"

ऊर्जा के गैर–परम्परागत उपकरणों के विनिर्माण एवं आपूर्ति के लिए देश में ही विनिर्माण की आधारभूत संरचना का क्षेत्र उभरा है। इसमें सार्वजनिक और निजी – दोनों ही क्षेत्रों में लघु एवं मझोले/बड़े उद्योग शामिल हैं। कुछ विकासशील देशों को बायोगैस संयंत्रों के निर्माण के लिए तकनीकी मार्गदर्शन और सहायता उपलब्ध कराई गई है। निर्यात किए जाने वाले उत्पादों में मुख्य रूप से सौर फोटोवोल्टिक मॉड्यूल्स और उसकी प्रणालियाँ सम्मिलित हैं। हमारे देश में निर्मित पवन टरबाइनों के पुर्जे यूरोप, आस्ट्रेलिया और अमेरिका को निर्यात किए गए हैं। स्विट्जरलैण्ड की एक कंपनी ने छोटे–छोटे गैसीफायरों के निर्माण के लिए भारतीय डिजाइन का उपयोग किया है।

उपलब्धियाँ

विगत दो दशकों के दौरान गाँवों और शहरों में कई पुनरोपयोगी ऊर्जा प्रौद्योगिकियों का विकास किया गया है। कुछ उपलब्धियों को अनुमानित क्षमता के साथ सारणी–6 में दर्शाया गया है।

सारणी–6. पुनरोपयोगी ऊर्जा क्षमता और उपलब्धियाँ

क्रमांक	स्रोत/प्रणाली	अनुमानित क्षमता 31–3–05	उपलब्धियां 2006 की स्थिति
(क)	**पुनरोपयोगी संसाधनों से प्राप्त बिजली**		
1	सौर फोटोवोल्टिक ऊर्जा	5000 मेगावाट	2.74 मेगावाट
2	पवन ऊर्जा	45,000 मेगावाट	5310.40 मेगावाट
3	लघुपन बिजली (25 मेगावाट तक)	15,000 मेगावाट	1826.43 मेगावाट
4	बायोमास/सह उत्पादन बिजली	66,000 मेगावाट*	912.53 मेगावाट
5	बायोमास गैसीफायर		1.00 मेगावाट
6	अपशिष्ट से प्राप्त ऊर्जा	7000 मेगावाट	34.95 मेगावाट
	कुल पुनरोपयोगी ऊर्जा	1,83,000मेगावाट	8088.05 मेगावाट

	(ख) विकेंद्रीकृत ऊर्जा प्रणालियाँ		
7	परिवार के उपयोग हेतु बायोगैस संयंत्र	1.20 लाख	3.84 लाख
8	सौर फोटोवोल्टिक प्रणालियां	20 मेगावाट प्रतिवर्ग कि.मी.	
	(i) सौर सड़क प्रकाश प्रणालियां	–	54.795 (संख्या)
	(ii) सौर गृह प्रकाश प्रणालियां	–	3,42,607 (संख्या)
	(iii) सौर लालटेन	–	4,78,058 (संख्या)
	(iv) एस.पी.वी. बिजली संयंत्र	–	1566 कि.वा.
9	सौरजल तापन प्रणालियां	14 करोड़ वर्गमीटर संग्राहक क्षेत्र	1.50 लाख वर्गमीटर संग्राहक क्षेत्र
10	सौर कुकर	–	6 लाख (संख्या)
11	सौर पी.वी. पंप	–	7015 (संख्या)
12	पवन पंप	–	1111 (संख्या)
13	संकर प्रणालियां	–	484.68 कि.वा.
14	बैटरी चालित वाहन	–	212 (संख्या)

* बायोमास गैसीफायर सहित

ग्यारहवीं योजना के लक्ष्यों हेतु अपारम्परिक ऊर्जा स्रोत मंत्रालय अभी से ही गंभीर है। वर्ष 2012 तक अंधेरे में डूबे गाँवों में 30 लाख गोबर गैस संयंत्र, 50 लाख सौर लाइटें, 20 लाख सौर स्ट्रीट लाइटें, दूर–दराज के गाँवों में पानी गरम करने की सुविधाएँ देने तथा 18 हजार गाँवों में स्थायी अक्षय ऊर्जा स्रोतों के भी विकास की योजना बनाई जा रही है। मंत्रालय की योजना इन स्रोतों के विकास की वार्षिक वृद्धि दर 10 प्रतिशत सुनिश्चित करने तथा इन स्रोतों से 10 हजार मेगावाट बिजली उत्पन्न करने की है।

1. सौर ऊर्जा

वस्तुतः भारत विश्व के धूपदार क्षेत्र में स्थित है। भारत के अधिकतर भागों में प्रतिदिन का औसत सौर विकिरण 4 किलोवाट घंटा/वर्गमीटर है। यहाँ तक प्रत्येक वर्ष औसतन 250–300 दिन धूप खिली रहती है। सबसे अधिक वार्षिक विकिरण ऊर्जा पश्चिमी

राजस्थान को प्राप्त होती है, जबकि देश के दक्षिणी–पूर्वी क्षेत्र को सबसे कम वार्षिक विकिरण ऊर्जा प्राप्त होती है। भारत में प्रतिदिन वैश्विक सौर विकिरण के औसत को चित्र–2 में दर्शाया गया है।

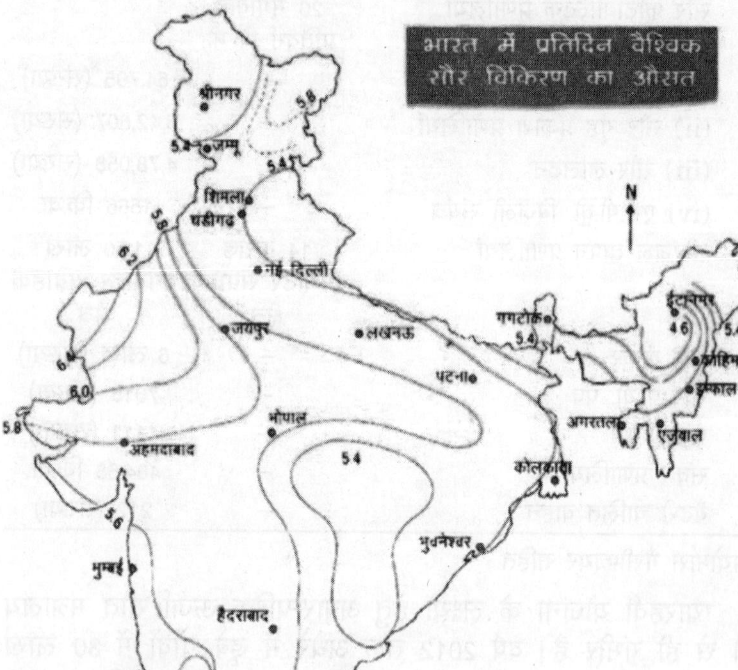

चित्र–2 भारत में प्रतिदिन वैश्विक सौर विकिरण का औसत

हम सौर–ऊर्जा को ताप और प्रकाश के रूप में अनुभव करते हैं और इसे दो मार्गों से उपयोग में ला सकते हैं। तापीय मार्ग, जो ताप का उपयोग करके पानी को गरम करने, भोजन पकाने, सुखाने, पानी का शोधन करने, बिजली उत्पादन करने तथा अन्य उपयोगों में काम

में आता है। प्रकाशवोल्टीय मार्ग, जो प्रकाश की सौर ऊर्जा को बिजली में परिवर्तित करता है, जिसे फिर रोशनी करने, पानी पंप करने, संचार तथा गैर बिजली वाले क्षेत्रों में बिजली की आपूर्ति जैसे कार्यों में उपयोग किया जा सकता है। वस्तुतः सूर्य की ऊर्जा में ऐसी अनेक विशेषताएँ हैं जो इसे आकर्षक और टिकाऊ विकल्प का गौरव प्रदान करती हैं, जैसे विश्वव्यापी वितरण, प्रदूषण मुक्त प्रकृति और कभी न समाप्त होनेवाली आपूर्ति।

सूर्य गैस का जलता हुआ एक विशाल गोला है और इसकी त्रिज्या 7 लाख किलोमीटर है। यह पृथ्वी से लगभग 14 करोड़ किलोमीटर दूर है और इसके केन्द्र में परमाणु संलयन (Nuclear fusion) हो रहा है। इस कारण यह अत्यन्त गरम है। सूर्य से बहुत सारी ऊर्जा विद्युत् चुंबकीय विकिरण के रूप में निकलती है। सूर्य की सतह पर ऋणात्मक हाइड्रोजन आयन की परत है, जो बहुत सारे विकिरण को सोख लेती है। इन आयनों के कारण बहुत सारी तरंग लंबाइयों की ऊर्जा सोख ली जाती है। यह सोखी गई गरमी सूर्य की सतह पर फैल जाती है और इसका पुनः विकिरण होता है। इस प्रकार सूर्य की सतह पर एक फोटोस्फीयर का (चित्र–3) निर्माण होता है। इस फोटोस्फीयर का तापमान सूर्य के केन्द्र के तापमान से बहुत कम होता है। अनुमानों के अनुसार यह 6 हजार डिग्री सेल्सियस होता है।

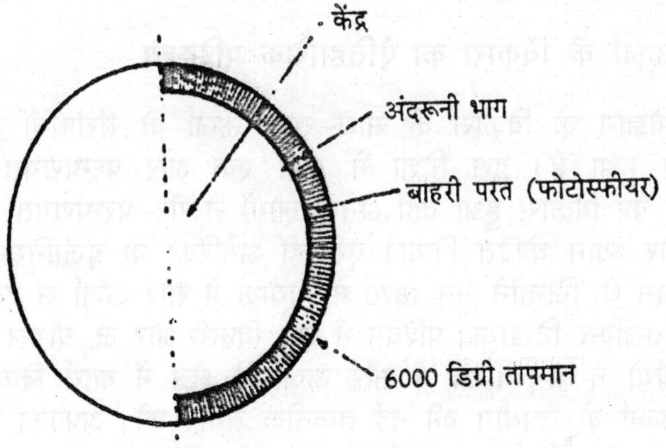

चित्र–3 सूर्य की आंतरिक संरचना

इस फोटोस्फीयर से लगातार विद्युत् चुंबकीय विकिरण होता रहता है। यह एक ब्लैक बॉडी की तरह काम करता है। तथा इससे निकली ऊर्जा "सौर ऊर्जा" कहलाती है। वस्तुतः सौर ऊर्जा सूर्य में निरंतर होने वाली शृंखला अभिक्रियाओं से उत्पन्न होती है। इन अभिक्रियाओं में चार मिलियन (40 लाख) टन हाइड्रोजन एक सैकंड के अंदर हीलियम में रूपान्तरित हो जाती है। सौर विकिरण के रूप में सूर्य से निरंतर निर्मुक्त होने वाली ऊर्जा 380 बिलियन ट्रिलियन (38×10^{10}) खरब किलोवाट है।

जब यह ऊर्जा पृथ्वी के वायुमंडल में प्रवेश करती है तो 30 प्रतिशत नष्ट हो जाती है, 25 प्रतिशत वायुमंडल द्वारा अवशोषित कर लिया जाता है तथा 20 प्रतिशत विसरित किरणों के रूप में पृथ्वी पर पहुँचती हैं।

पृथ्वी पर मौसम बदलता रहता है। जिन दिनों हमें सीधी धूप मिलती है, उन दिनों सौर ऊर्जा हमें सीधी और अधिक मिलती है। तथा जिन दिनों आसमान में बादल होते हैं, तब हमें कम और छितरी हुई सौर ऊर्जा मिलती है। भारत विषुवत् रेखा के समीप और गरम देश है। यहाँ सौर ऊर्जा बहुत मात्रा में उपलब्ध है। अनुमानों के अनुसार, पूरे भारतवर्ष में 5 हजार ट्रिलियन यूनिट प्रतिवर्ष सौर ऊर्जा उपलब्ध होती है, जो भारत की ऊर्जा की कुल जरूरत का कई गुना है।

सौर ऊर्जा के विकास का ऐतिहासिक परिदृश्य

विज्ञान के विकास के साथ–साथ ऊर्जा के संसाधनों का भी विकास हुआ है। इस दिशा में जहाँ एक ओर परम्परागत ऊर्जा साधनों का विकास हुआ वहीं अनेक लोगों ने गैर–परम्परागत साधनों की ओर ध्यान केंद्रित किया। ऐसे ही अमेरिका के इंजीनियर जॉन एरिकसन थे, जिन्होंने सन् 1870 में न्यूयार्क में सौर ऊर्जा से एक भाप इंजन चलाकर दिखाया। पश्चिम में एच. विल्सी और जे. बॉयल नामक शोधार्थियों ने सन् 1904 में सौर ऊर्जा के क्षेत्र में कार्य किया और सौर ऊर्जा के उपयोग की नई तकनीक तैयार की। अफ्रीका में सन् 1906 में सौर ऊर्जा पर बड़े पैमाने पर प्रयोग किए गए। सन् 1913 में

सौर संयंत्र तैयार किया गया। इसमें बहुत बड़े तालाब के ऊपर परवलियक (पैराबोलिक) काँच लगाकर पानी गरम किया जाता था।

सन् 1923 में गरम पानी के संयंत्र तैयार कर बेचे गए। सन् 1936 से 1941 तक पानी गरम करने के लगभग एक लाख संयंत्र जगह–जगह लगाए गए। अमेरिका में सरकार द्वारा निर्मित मकानों में तो निर्माण के समय ही इस प्रकार के संयंत्र लगा दिए गए थे।

अमेरिकी सरकार ने सौर प्रकाशीय ऊर्जा के विकास के लिए बढ़ावा देना प्रारंभ किया। सन् 1954 में सिलिकॉन सौर सेल तैयार किए गए, जो सौर ऊर्जा को सीधे बिजली में परिवर्तित करते थे। सन् 1958 में अमेरिकी सेना के सिगनल कोर के एक इंजीनियर ने एक ट्रांसमीटर के लिए वैकल्पिक ऊर्जा के स्रोत के रूप में सिलिकॉन सेलों का प्रयोग किया। सन् 1960 से 1973 तक नासा ने एक करोड़ सौर सेल खरीदें, जिनकी कीमत पाँच करोड़ डॉलर थी। इसके बाद इस क्षेत्र में संपूर्ण विश्व में जाग्रति आने लगी और अनेक उत्पाद तैयार किए जाने लगे।

सौर ऊर्जा के प्रकार

विश्व में सौर ऊर्जा के क्षेत्र में दो प्रमुख तकनीकें उपलब्ध हैं।

(i) **सौर प्रकाशीय ऊर्जा** – इस तकनीक में सौर ऊर्जा को अर्द्ध चालकों की सहायता से सीधे विद्युत् में परिवर्तित किया जाता है।

(ii) **सौर तापीय ऊर्जा** – इस तकनीक में सौर ऊर्जा को पहले तापीय ऊर्जा में बदला जाता है, तापीय ऊर्जा को फिर यांत्रिक ऊर्जा में और इसके बाद आवश्यकतानुसार उसे विद्युत् ऊर्जा में बदला जाता है। अधिकतर सौर तापीय ऊर्जा संयंत्र यांत्रिक ऊर्जा और विद्युत् ऊर्जा दोनों देते हैं।

i. सौर प्रकाशीय ऊर्जा

सौर सेल – वस्तुतः सौर सेल वह उपकरण है जो प्रकाश को विद्युत् में परिवर्तित कर देता है। यह बिजली डी.सी. (डायरेक्ट करेंट)

प्रकार की होती है। सही मायने में, प्रकाश को ऊर्जा के टुकड़े माना जा सकता है। एक टुकड़ा 'फोटोन' कहलाता है। फोटोन जब सेल पर पड़ते हैं तो स्वतंत्र इलेक्ट्रॉन, जो पहले परमाणु से जुड़े होते थे, अपनी जगह से हटते हैं और ऊर्जा पाकर आगे बहने लगते हैं। इससे विद्युत् ऊर्जा उत्पन्न होती है।

जब इलेक्ट्रॉन अपनी जगह से हटते हैं तो होल उत्पन्न होते हैं। ये धनात्मक आवेशयुक्त होते हैं। पी–एन जंक्शन से उत्पन्न विद्युत् क्षेत्र इलेक्ट्रॉन के लिए एक झाडू की तरह कार्य करता है। वह इलेक्ट्रॉन एक ओर धकेलता है और होल्स को दूसरी ओर। इस कारण विद्युत् धारा बहने लगती है और वोल्टेज उत्पन्न हो जाता है। इस प्रकार सौर सेल से वोल्टेज और करेंट उत्पन्न होते हैं।

सौर प्रकाशवोल्टीय (एसपीवी) सौर–विकिरण अर्थात् धूप को सोलर सेल नामक युक्ति का उपयोग करके बिजली में बदलने का प्रक्रम है। सोलर सैल सिलिकन या किसी अन्य सामग्री की बनी हुई अर्ध चालक युक्ति होती है, जो धूप से बिजली उत्पन्न करती है। उत्पन्न की गई बिजली की धारा का परिमाण सौर विकिरण की तीव्रता, सोलर सेल के धूप वाले क्षेत्र, सोलर सेल बनाने में उपयोग की गई सामग्री के प्रकार और परिवेश तापमान पर निर्भर होती है।

सोलर सेलों को समांतर संयोजन की शृंखला में जोड़ा जाता है और इस तरह वे मॉड्यूल बनते हैं, जो वांछनीय शक्ति प्रदान करते हैं।

एसपीवी प्रणालियों के लाभ –

एसपीवी प्रणालियों के मुख्य लाभ निम्नांकित हैं।

- भारत के अधिकतर भागों में विपुल सौर विकिरण उपलब्ध है। अतः एसपीवी प्रणालियां भारत में कहीं भी उपयोग में लाई जा सकती हैं।
- एसपीवी प्रणालियाँ (चित्र–4) अपनी प्रकृति से मॉड्यूलर है। अतः उनको इच्छानुसार बड़ा या छोटा किया जा सकता है और बड़े या छोटे अनुप्रयोगों में उपयोग किया जा सकता है।

- सौर विकिरण निःशुल्क मिलती है, इसलिए एसपीवी प्रणालियों को चलाने पर कोई खर्चा नहीं आता है।
- सौर सेल किसी भी प्रकार की ध्वनि उत्पन्न किए बिना बिजली पैदा करते हैं।
- एसपीवी प्रणालियों के अधिकतर पुर्जे पहले से बने बनाये होते हैं, इसलिए इनको कहीं भी जल्दी से स्थापित किया जा सकता है।
- एसपीवी मोड्यूलों का जीवन काल बहुत लंबा होता है और उनमें रख–रखाव की कोई आवश्यकता नहीं पड़ती है। केवल बैटरियों और इनर्वटरों जैसे बीओएस घटकों में ही थोड़े रख–रखाव (अनुरक्षण) की ज़रूरत पड़ती है।

चित्र–4. सौर प्रकाशवोल्टीय विद्युत् प्रणाली

सौर प्रकाशीय ऊर्जा का उपयोग

वस्तुतः सौर प्रकाशीय ऊर्जा के अधिकाधिक उपयोग है परन्तु इनमें मुख्यतः निम्नांकित हैं।

(i) **स्वास्थ्य संबंधी क्षेत्र** : ग्रामीण तथा दूर–दराज के क्षेत्रों में बिजली की आपूर्ति अनियमित होती है। ऐसे स्थानों पर स्थित

डिस्पेंसरियों और अस्पतालों में सौर ऊर्जा ही ऊर्जा का एक नियमित साधन हो सकता है। यह रेफ्रिजरेटरों में दवाओं और टीकों को सुरक्षित रखने में काम आती है। बिजली से चलने वाले निर्जर्मीकरण और शोधक उपकरणों को चलाने के लिए सौर ऊर्जा का उपयोग किया जाता है। इन औषधालयों में बेहतर रोशनी के लिए और बिजली जाने पर अथवा आपातकाल में संपर्क बनाए रखने के लिए सौर ऊर्जा का उपयोग होता है।

(2) पानी की आपूर्ति संबंधी उपयोग – ग्रामीण, पहाड़ी तथा सुदूर क्षेत्रों में नीचे से पानी निकालने में सौर ऊर्जा उपयोगी रहती है। जिन क्षेत्रों में पानी लवणीय व पीने के अयोग्य होता है, विशेषतः दूर स्थित द्वीपों आदि में, वहाँ पर पानी के शुद्धीकरण संयंत्र सौर ऊर्जा से चलाए जा सकते हैं। जानवरों के पीने का पानी एकत्रित करने के लिए उपयोग में आने वाले संयंत्र भी सौर ऊर्जा से चलाए जा सकते हैं।

इसी प्रकार सिंचाई कार्यों में भी सिंचाई पंप सौर ऊर्जा से चलाए जाते हैं। घर की छत पर पानी चढ़ाने, पानी गरम करने के संयंत्र भी सौर ऊर्जा से चलाए जा सकते हैं। चित्र–5 में राजस्थान में सौर ऊर्जा से चालित पानी के पंप को दिखाया गया है।

चित्र–5. सौर ऊर्जा से चालित सौर पंप

(3) दूर संचार के क्षेत्र में – दूरसंचार के लिए संयंत्र ऊँची और वीरान जगह पर लगाए जाते हैं। माइक्रोवेव रिपीटर स्टेशनों, यू.

एच.एफ / वी.एच.एफ. रेडियो और टी.वी. रिपीटरों को विद्युत आपूर्ति सौर ऊर्जा संयंत्रों से की जा सकती है। मोबाइल एवं रेडियो टी.वी. को भी बिजली की आपूर्ति सौर ऊर्जा से की जा सकती है। टेलीफोन एक्सचेंजों, उपग्रह भूमि केन्द्रों दूर से नापने वाले उपकरणों इत्यादि को भी सौर प्रणाली से ऊर्जा दी जा सकती है। सबसे महत्वपूर्ण उपयोग यह है कि सैनिकों के लिए आपसी संचार हेतु उपयोग आनेवाले छोटे हलके उपकरणों में भी सौर ऊर्जा का उपयोग होता है। सौर ऊर्जा से संचालित दूरदर्शन के ट्रांसमीटर को चित्र–6 में दर्शाया गया है।

चित्र–6. सौर ऊर्जा से संचालित दूरदर्शन के ट्रांसमीटर

(4) हवाई अड्डों पर – हवाई अड्डों, विशेषतः उन हवाई अड्डों जहाँ बहुत कम लोग होते हैं, राडार तथा अन्य संयंत्रों को चलाने के लिए सौर ऊर्जा एक मुख्य साधन है। यहाँ पर मौसम की जानकारी और हवा का वेग नापने के लगाए गए उपकरण सौर ऊर्जा से चलाए जाते हैं। जहाँ पर बिजली उपलब्ध होती है वहाँ पर भी सौर ऊर्जा एक वैकल्पिक ऊर्जा स्रोत के रूप में काम में लाई जाती है।

(5) कैथोडिक प्रोटेक्शन – तेल की लंबी–लंबी पाइप लाइनों और ऐसे ही संयंत्रों के बचाव के लिए करेंट की आवश्यकता होती है। इसके लिए लंबी विद्युत् लाइन बिछाना महंगा पड़ता है। स्थानीय

विद्युत् आपूर्ति नियमित नहीं होती है। अतः सौर ऊर्जा न केवल विश्वसनीय होती है वरन् सस्ती भी पड़ती है। यदि कैथोडिक प्रोटेक्शन न हो तो करोड़ों रुपये लागत वाली इन पाइप लाइनों में जंग लग जाता है। और बहुमूल्य खनिज तेल, गैस इत्यादि का भारी नुकसान होता है। पाइप लाइनों के साथ जगह–जगह लगाए जाने वाले सौर संयंत्र रोशनी व अन्य कार्यों, जैसे सुरक्षा आदि में भी काम आते हैं।

(6) नौचालन (नेविगेशन) समुद्र में चलनेवाली नावों, जहाजों को दिशा ज्ञान देने और उनसे संपर्क बनाए रखने के लिए जगह–जगह लाइट हाऊस, संचार केन्द्र इत्यादि बनाए जाते हैं। ये छोटे–छोटे टापुओं में होते हैं। जहाँ पर बिजली के सामान्य स्रोत उपलब्ध नहीं होते हैं वहाँ नियमित रूप से डीजल आदि पहुँचाना कठिन व महँगा होता है। ऐसे में सौर ऊर्जा एकमात्र साधन बचता है जो सस्ता और विश्वसनीय होता है। सौर संयंत्रों के माध्यम से रोशनी भी की जाती है और संचार प्रणाली भी चालू रखी जाती है। इस प्रकार समुद्र में चल रहे जहाजों के लिए ये अत्यन्त उपयोगी हैं।

(7) बैटरी चार्ज करने हेतु : सौर ऊर्जा से हर प्रकार की बैटरी उचित तरीके से चार्ज की जाती है। रेलवे जैसे विभाग बड़े पैमाने पर बैटरियों का उपयोग करते हैं। यहाँ सौर ऊर्जा बहुत काम आती है। इसी प्रकार अन्य जगहों पर स्थित बैटरियों को नियमित रूप से चार्ज करने के लिए सौर संयंत्र का उपयोग किया जाता है।

(8) ट्रैफिक नियंत्रण में : बड़ी सड़कों, राजमार्गों पर ट्रैफिक संकेत नियंत्रक और चेतावनी देनेवाले संयंत्र सौर ऊर्जा से चलाए जाते हैं। जहाँ–जहाँ रेलवे क्रॉसिंग हैं वहां संकेत व चेतावनी देनेवाले उपकरण सौर ऊर्जा से चलाए जा सकते हैं। कई स्थानों पर ट्रैफिक काउंटर भी बनाए जाते हैं जो यात्रियों की सहायता करने का भी कार्य करते हैं। और नियमों का उल्लंघन करनेवालों को दंड भी देते हैं। इनमें बिजली की आपूर्ति के लिए भी सौर ऊर्जा बेहतर माध्यम है।

(9) प्रकाश व्यवस्था में: सौर ऊर्जा के इस क्षेत्र कई उपयोग हैं।

(i) सौर लालटेन – सौर लालटेन (चित्र–7) घर और बाहर दोनों स्थानों के लिए प्रकाश देनेवाली एक पोर्टेबल प्रणाली है। इसमें एक प्रकाशवोल्टीय मॉड्यूल और लालटेन यूनिट है, जिसमें लैम्प, बैटरी और इलेक्ट्रॉनिक्स होते हैं। लालटेन की बैटरी पूरा दिन प्रकाशवोल्टीय मॉड्यूल से चार्ज होती है जिसे सूर्य के प्रकाश की ओर रखना पड़ता है। इस पर गिरने वाले सौर विकिरण बिजली में बदल जाते हैं, जो अंततः बैटरी को चार्ज करते हैं। सौर लालटेन को आमतौर पर प्रतिदिन 3 से 4 घंटे रोशनी देने के लिए बनाया गया है और इसमें तीन दिन की स्वायत्तता है। अर्थात् यह सूर्य के प्रकाश के बिना तीन दिन तक इसी प्रकार कार्य कर सकती है।

चित्र–7. सौर लालटेन

सौर लालटेन में सूर्य के प्रकाश के अतिरिक्त किसी ईंधन की आवश्यकता नहीं है। इसको चलाना तथा अनुरक्षण भी आसान है। इसके अलावा सौर लालटेन के उपयोग में परंपरागत वर्तिका लैम्प और झरीकेन लालटेनों की तरह कोई पर्यावरणीय और स्वास्थ्य जोखिम भी नहीं है। भारत में सौर लालटेन बहुत प्रचलित है तथा एक लाख से भी अधिक लालटेन सरकारी कार्यक्रम के अन्तर्गत वितरित की जा चुकी हैं।

(ii) सौर सड़क रोशनी प्रणाली – सौर सड़क रोशनी प्रणानी अक्षय सौर ऊर्जा के दोहन से प्रकाश मुहैया कराती है। इसका प्रकाश

वोल्टीय मॉड्यूल सूर्य के प्रकाश को विद्युत् में परिवर्तित करता है जो विद्युत् उपलब्ध कराने के लिए बैटरी को चार्ज करता है। अंधेरा होने पर लैम्प स्वतः ही "ऑन" हो जाता है (चित्र–8)। और लैम्प रात भर लगातार प्रकाश देता है। और प्रातःकाल होते ही अपने आप बंद हो जाता है। इसप्रकार की प्रणालियाँ, ग्रामीण और दूर–दराज क्षेत्रों, मरुस्थलीय क्षेत्रों और द्वीपों, जहाँ साधारणतया विश्वसनीय परंपरागत ग्रिड विद्युत् उपलब्ध नहीं हैं, में बाहरी और सामुदायिक रोशनी उपलब्ध कराने के लिए आदर्श स्वरूप हैं। अपारंपरिक ऊर्जा मंत्रालय देश में उचित स्थलों पर ऐसी प्रणालियाँ लगाने के कार्यों की सहायता करता है।

चित्र–8. सौर सड़क रोशनी

(iii) सामुदायिक सेवा में प्रकाशवोल्टीय – सौर प्रकाशवोल्टीय (एसपीवी) अपने अनुप्रयोगों के कारण परंपरागत ग्रिड लाइनों से दूर के स्थानों और लोगों की लघु विद्युत् आवश्यकताओं को पूरा करने के लिए एक बहुमुखी प्रौद्योगिकी है। एसपीवी प्रणालियों (चित्र–9) का, घरों में और सड़कों पर प्रकाश व्यवस्था के लिए, टेलिविजन सेटों और रेफ्रिजरेटरों को ऊर्जा देने में, सिंचाई और पीने के लिए जल पंप और ग्रामीण दूर संचार प्रणालियों के संचालन के लिए भारत में प्रदर्शन और विस्तार प्रचुर मात्रा में किया गया है।

चित्र–9. सामुदायिक सेवा में सौर प्रकाश वोल्टीय प्रणाली

(10) ग्रामीण एवं जंगली क्षेत्रों में ऊर्जा – बड़े–बड़े पार्कों, जंगलों में सौर ऊर्जा ही ऊर्जा का सस्ता तथा विश्वसनीय साधन होती है। सौर ऊर्जा संयंत्र वन और प्रकृति से साथ मित्रवत् रहते है और किसी भी प्रकार का प्रदूषण आदि नहीं फैलाते हैं। कई जगह ये सौर संयंत्र अकेले कार्य करते हैं और कई जगह ऊर्जा के अन्य संयंत्रों, जैसे पवन ऊर्जा, पन बिजलीघर इत्यादि के साथ मिलकर कार्य करते हैं।

(11) सुरक्षा संयंत्रों में महत्ता – सौर ऊर्जा से वे संयंत्र चलाए जा सकते हैं जो घुसपैठियों की सूचना आसानी से सुरक्षा बलों को देते हैं। सीमावर्ती और संवेदनशील क्षेत्रों की सुरक्षा में ये बहुत उपयोगी सिद्ध होते हैं।

इसी प्रकार भीड़–भाड़वाले क्षेत्रों में दूर बैठकर नियंत्रण करनेवाले संयंत्रों को भी ऊर्जा सौर ऊर्जा प्रणाली द्वारा दी जा सकती है। सीमावर्ती तथा संवेदनशील क्षेत्रों में सुरक्षा के लिए लगाई जानेवाली तारों की बाड़ में विद्युत् करेंट प्रवाहित किया जाता है, जिससे अवांछित व्यक्ति, जानवर इत्यादि घुस न सकें। इस बाड़ में करेंट सौर ऊर्जा प्रणाली से दी जा सकती है। इसके लिए जगह–जगह पैनल लगाए जा सकते हैं। ये पैनल न केवल बाड़ में करेंट देते हैं वरन् इनसे रोशनी भी की जाती है, जो सुरक्षा में और सहायक होती है।

(12) पर्यावरण नियंत्रण – वातावरण में विकिरण, शोर इत्यादि मापने के लिए सौर–चालित प्रणालियाँ जगह–जगह लगाई जाती हैं। इसके अलावा मौसम विभाग देश में स्थान–स्थान पर मौसम की जानकारी एकत्र करने के लिए केन्द्र स्थापित करता है। इन केन्द्रों को ऊर्जा सौर संयंत्रों से मिलती है।

(13) उपभोक्ता इलेक्ट्रॉनिक्स उत्पाद – आजकल बड़ी संख्या में ऐसे इलेक्ट्रॉनिक उत्पाद उपलब्ध हैं जो सौर ऊर्जा से चलते हैं। पहले कैलकुलेटर में सैल लगाने पड़ते थे, अब सौर कैलकुलेटर प्रकाश ऊर्जा से चलते हैं। इसी प्रकार घड़ियों में अब न तो चाबी भरनी है और न ही बैटरी डालनी पड़ती है। वे सौर सेलों से चलती हैं। इसी प्रकार छोटे रेड़ियो, टेलीविजन, टेपरिकॉर्डर इत्यादि छोटे–छोटे हलके सौर पैनलों से चलते हैं। अनेक प्रकार के कैमरे व अन्य इलेक्ट्रॉनिक उत्पाद भी सौर ऊर्जा से बिना किसी व्यवधान से चलते हैं।

(14) मनोरंजन कार्यों में – आजकल मनोरंजन के लिए लोग बड़ी गाड़ी लेकर निकलते हैं, जिसमें अनेक सुविधाएँ होती हैं। उन्हें जहाँ रुकना होता है वहीं गाड़ी एक घर का रूप ले लेती है। ऐसी गाड़ी के लिए सौर ऊर्जा रोशनी व अन्य उपयोगों के लिए एकमात्र साधन है।

इसी प्रकार लोग बड़ी–बड़ी नावों पर सैर करने जाते हैं। इन नावों और हाउसबोटों के लिए सौर ऊर्जा सस्ता और विश्वसनीय साधन है। पर्वतारोहण या दुर्गम स्थानों की जो लोग यात्रा करते हैं, उन्हें कैंप लगाते समय रोशनी तथा अन्य उपयोगों के लिए ऊर्जा की आवश्यकता पड़ती है। इन स्थानों पर भी सौर ऊर्जा ही व्यावहारिक सिद्ध होती है। इसी प्रकार मनोरंजन के अन्य साधनों, जैसे – गोल्फ खेलने के लिए गाड़ी, मनोरंजक गाड़ियों, हलके विमानों आदि में सौर ऊर्जा का उपयोग संभव है।

(15) उपग्रह – वर्तमान में मौसम की जानकारी दूरसंचार, जासूसी इत्यादि के लिए बडी संख्या में उपग्रह छोड़े जाते हैं, जो पृथ्वी का चक्कर लगाते रहते हैं। अंतरिक्ष में घूमने वाले इन उपग्रहों के लिए आवश्यक ऊर्जा का एकमात्र साधन सौर ऊर्जा है। क्योंकि

अन्य साधनों को वहाँ तक पहुँचाना या कार्य कराना असंभव है। इसे चित्र–10 में दर्शाया गया है।

चित्र–10. सौर ऊर्जा का उपग्रहों में उपयोग

(16) अनुकूल वातावरण बनाए रखने हेतु – किसी जगह पर निश्चित तापमान, नमी बनाए रखने के लिए उपयोग किए जानेवाले एयरकंडीशनर, हीटर इत्यादि भी सौर ऊर्जा से चलाए जा सकते हैं। इसी प्रकार पंखे और ठंडी हवा देने के उपकरण भी सौर ऊर्जा से चलाए जाते हैं।

(17) आवासीय उपयोग – दूर दराज के क्षेत्रों में बनाए जाने वाले केबिनों, कुटीरों और छुट्‌टी मनाने के लिए बने छोटे मकानों आदि में बिजली देने के लिए सौर ऊर्जा का उपयोग किया जा सकता है। कई स्थानों पर पवन ऊर्जा और सौर ऊर्जा का संयुक्त रूप से उपयोग किया जाता है। दोनों में से जो भी उपलब्ध होती है उसका उपयोग किया जाता है।

(ii) सौर तापीय ऊर्जा

सूर्य की रोशनी में स्थित ताप को एकत्र करने पर उसके द्वारा जो ऊर्जा उत्पन्न होती है उसे "सौर तापीय ऊर्जा" कहते हैं। ताप के रूप में ऊर्जा की आवश्यकता कई क्षेत्रों, यथा – घरेलू, कृषि,

औद्योगिकी तथा अर्थव्यवस्था के व्यावसायिक क्षेत्रों में होती है। सौर तापीय प्रणाली में मुख्यतः सौर ऊर्जा में विद्यमान ताप को अवशोषित किया जाता है तथा इसे अन्य माध्यमों, जैसे – जल या वायु में हस्तांतरित कर दिया जाता है। जब इसका उपयोग पानी को गरम करने के लिए, भोजन पकाने के लिए, विभिन्न वस्तुओं को सुखाने के लिए तथा जल के उत्पादों एवं आसवन के लिए किया जाता है तो इन कार्यों में सौर तापीय प्रणाली आंशिक या पूर्ण रूप से पारंपरिक ईंधन जैसे – कोयला, तेल तथा बिजली को प्रतिस्थापित कर सकती है। सौर तापीय प्रौद्योगिकी से भारत में पारंपरिक ऊर्जा की बचत की अपूर्व संभावनाएं हैं।

सूर्य की गरमी को विभिन्न तरीकों से एकत्र किया जाता है और ये तरीके तापमान पर आधारित हैं तथा निम्नवत् हैं।

(अ) निम्न स्तर तापीय ऊर्जा – इस तरीके में सूर्य की गरमी को एकत्र करके जो तापमान पैदा किया जाता है वह 100° सेंटीग्रेड से कम होता है। इस प्रकार एकत्रित ऊर्जा का उपयोग पानी गरम करने, हवा गरम करने, चीजों को सुखाने, पानी से नमक आदि अलग करने में उपयोग किया जाता है।

(ब) मध्यम स्तर तापीय ऊर्जा – इस विधि से सूर्य की गरमी को एकत्र करके जा तापमान उत्पन्न किया जाता है वह 100° सेंटीग्रेड से 300° सेंटीग्रेड के बीच होता है। इस प्रकार से उत्पन्न तापीय ऊर्जा का उपयोग भोजन पकाने, औद्योगिक उपयोग हेतु भाप पैदा करने, शीतलीकरण, पानी पंप करने और बिजली पैदा करने में किया जाता है।

(स) उच्च स्तर तापीय ऊर्जा – इस तरीके से तापमान 300° सेंटीग्रेड से अधिक होता है। इसका उपयोग मुख्यतः ऊर्जा उत्पादन में किया जाता है।

सौर तापीय ऊर्जा की उपादेयता – इसकी उपयोगिता के निम्नांकित क्षेत्र हैं।

(i) घरेलू सौर जल ऊष्मक प्रणाली – सौर जल ऊष्मक, (चित्र –11) सूर्य की ऊर्जा के उपयोग द्वारा जल तापन का एक उपकरण है। 100 लीटर प्रतिदिन क्षमता की घरेलू और जल ऊष्मक

प्रणाली से 4 से 5 सदस्यों के परिवार के नहाने, धोने और सफाई करने आदि के लिए पर्याप्त है। यह प्रतिदिन औसतन 5 से 6 यूनिट विद्युत् बचाता है। इस प्रणाली की अवधि लगभग 20 वर्ष है। इसमें एक विद्युत् बैक–अप होता है जो बादल वाले और धूप रहित दिनों के दौरान गरम जल की आपूर्ति सुनिश्चित करता है। घरेलू सौर जल ऊष्मक प्रणालियाँ ऊपरी छतों, दक्षिणामुखी दीवारों और किसी अन्य सतह जहाँ दिन के दौरान निरंतर सौर ऊर्जा मिलती रहती है, पर लगाई जा सकती है।

चित्र–11. घरेलू सौर जल ऊष्मक

(ii) औद्योगिक सौर जल ऊष्मक – सौर ऊर्जा का उपयोग परिवात तापमान से 80° – 85° सेल्सियस तक जल गरम करने के लिए किया जाता है और इस जल को रात में उपयोग करने के लिए ऊष्मा–रोधी टैंक में जमा किया जा सकता है। सौर जल ऊष्मक प्रणाली की प्रतिदिन क्षमता कुछ लीटर प्रतिदिन से लेकर सैकड़ों हजार लीटर प्रतिदिन तक हो सकती है। देश में, काफी बड़ी मात्रा में सौर जल ऊष्मक प्रणाली का उपयोग उद्योगों, छात्रावासों, अस्पतालों, होटलों और डोरियों में गर्म पानी की आवश्यकता को पूरा करने के लिए किया जाता है। ये सौर जल ऊष्मक प्रणालियाँ विद्युत, कोयला

और भट्टी तेल जैसे परंपरागत ईधनों की बचत करती है। 80° सेल्सियस से ऊपर के ताप अनुप्रयोग प्रक्रिया के लिए सौर जल ऊष्मक का उपयोग उद्योगों में बायलर फीड के रूप में भी किया जा रहा है। औद्योगिक सौर जल ऊष्मक को चित्र 12 में दर्शाया गया है।

चित्र–12. औद्योगिक सौर जल ऊष्मक

(iii) सौर कुकर – सौर कुकर सूर्य (चित्र – 13) की किरणों द्वारा खाना पकाने के लिए एक सरल उपकरण है। यह एक दोहरे काँच वाले गरम बक्से के प्रकार का उपकरण है जिसमें एक शीशा लगा हुआ है जो सौर किरणों को प्राप्त करता है और ऊष्मा–रोधी बाक्स में रखे कुकिंग बर्तनों पर उन्हें परावर्तित करता है। सौर कुकर में पकाया या सेंका गया खाना स्वादिष्ट, पौष्टिक और स्वास्थ्यकर होता है। सौर कुकर में खाना पकाने के लिए, कैरोसिन, गैस या बिजली जैसी किसी भी ईंधन की आवश्यकता नहीं होती है। इस प्रकार इससे धुआं अथवा किसी भी प्रकार का पर्यावरणीय प्रदूषण नहीं होता है। सौर कुकर के उपयोग से समय की बचत होती है और गृहणियों को लगातार ध्यान भी नहीं देना पड़ता है क्योंकि जलने या खाने के ज्यादा गरम हो जाने का डर नहीं होता। बाजार में सौर कुकर 4 से 5 सदस्यों के परिवार तथा सामुदायिक कुकिंग दोनों के लिए विद्युतीय बैक–अप के साथ और बिना बैक–अप दोनों ही तरह

से उपलब्ध हैं। विद्युतीय बैक–अप वाले कुकर का एक लाभ यह है कि बादल वाले मौसम और धूप रहित समय में खाना पकाया जा सकता है।

चित्र–13. सौर कुकर

चित्र–14. सौर आसवन प्रणाली

(iv) सौर आसवन प्रणाली – सौर तापीय ऊर्जा, सौर आसवन प्रक्रिया द्वारा गंदे/खारे पानी को शुद्ध करने के लिए प्रयोज्य

पायी गयी है। सौर स्टिल/आसवन प्रणाली से प्राप्त आसवित पानी का उपयोग लेड एसिड बैटरियों, प्रयोगशालाओं, अस्पतालों और दूरवर्ती क्षेत्रों में पानी की व्यवस्था करने जैसे विभिन्न अनुप्रयोगों के लिए किया जाता है। एक वर्गमीटर क्षेत्र की सौर आसवन प्रणाली (चित्र – 14) से धूप वाले दिन में 2 से 3 लीटर आसवित पानी मिल सकता है। अपेक्षित क्षमता के सौर आसवन संयंत्र के लिए इस प्रकार के मॉड्यूलर सौर स्टिलों की प्राप्ति संभव है। इन प्रणालियों का उपयोग टेलीफोन एक्सचेंजों, बस टर्मिनलों में बैटरियों के लिए पानी की व्यवस्था करने के लिए, अस्पतालों, स्कूलों, कालेजों, दूरवर्ती गाँवों, द्वीपों और सदृश अन्य स्थानों/संगठनों में किया जा रहा है।

(v) सौर शुष्कक/वायुतापन प्रणाली : देश में शुष्ककों (चित्र – 15) का उपयोग कृषि और औद्योगिक उत्पाद, जैसे–सब्जियों, चायपत्तियों, फल, अनाज, मछली, लकड़ी और अन्य नष्ट होने वाले पदार्थों को सुखाने के लिए किया जाता है। भारतीय वैज्ञानिकों द्वारा विकसित इस प्रौद्योगिकी का उपयोग अब पूरे देश में किया जा रहा है। बहुत से स्थानों में इन प्रणालियों को आर्थिक और चाय उद्योगों में स्थापित उनकी परंपरागत वायुतापन प्रणालियों के साथ एकीकृत कर अधिक किफायती तथा विश्वसनीय बनाया गया है, परिणामस्वरूप 20 से 25 प्रतिशत वार्षिक ईंधन की बचत होती है।

चित्र–15. सौर शुष्कक

(vi) सौर ग्रीन हाउस – सौर ग्रीन हाउस (चित्र – 16), ठंडे ऊंचाई वाले क्षेत्रों में फलों, सब्जियों और फूलों की खेती के लिए

नियंत्रित जलवायु स्थितियों को उपलब्ध कराता है। इस प्रकार इन क्षेत्रों में रहने वाले लोगों के लिए यह एक वरदान साबित हुआ है। जम्मू एवं कश्मीर के लद्दाख क्षेत्र में निर्मित कुछ ग्रीन हाउसों ने साबित कर दिया है कि सब्जियों और फूलों को उपजाने के अलावा इनका उपयोग पोल्ट्री पशुओं के पालन–पोषण के लिए और बाहरी तापमान शून्य से नीचे होने पर भी बेहतर किस्म से बीज उपजाने के लिए किया जा सकता है।

चित्र–16. सौर ग्रीन हाउस

(vii) हरित भवन – ऊर्जाक्षम सौर भवन सौर पैसिव डिजाइन की तकनीक के आधार पर निर्मित किए जाते हैं जिससे सर्दी और गरमी में आरामदेह रहन–सहन और कार्यदशाएं उपलब्ध कराई जा सकें। इन भवनों को नवीकरणीय ऊर्जा और ऊर्जा संरक्षण यंत्रों और प्रणालियों के साथ एकीकृत किया जा सकता है और 30 प्रतिशत से 40 प्रतिशत तक पारंपरिक ऊर्जा की बचत की जा सकती है जिसका उपयोग प्रकाश के लिए, शीतन अथवा ताप के लिए किया जाता है। नवीन और नवीकरणीय ऊर्जा मंत्रालय की पहल के बाद कुछ राज्यों में ऐसे भवन बनाए गए हैं। सौर भवनों की संकल्पना को उपयोगी पाते हुए हिमाचल प्रदेश, पंजाब, हरियाणा और नागालैंड की राज्य सरकारों ने पहले ही सरकारी और सार्वजनिक क्षेत्रों में सभी नए भवनों का निर्माण इस संकल्पना के आधार पर करना अनिवार्य कर दिया है।

अब देश भर में हरित भवनों (चित्र – 17) के निर्माण के प्रयास किए जा रहे हैं जिनसे न केवल ऊर्जा संरक्षण होता है अपितु जल और अपशिष्ट प्रबंधन, पर्यावरणीय प्रभाव, प्राकृतिक संसाधनों को न्यूनतम नष्ट करना और अन्य पहलुओं की ओर भी एकीकृत रूप से ध्यान दिया जाता है। ऊर्जाक्षम और हरित भवन के डिजाइन के प्रति जागरूकता लाने और इन्हें लोकप्रिय बनाने में रेटिंग प्रणालियाँ काफी प्रभावी हैं। अधिकांश अंतरराष्ट्रीय रेटिंग प्रणालियाँ देश के भवन क्षेत्र जहाँ पर उन्हें बनाया गया है, की उपयुक्तता के अनुसार तैयार की गई हैं।

चित्र–**17**. हरित भवन

(viii) सौर प्रशीतक: ग्रामीण क्षेत्रों में प्रशीतन असुविधा गाँवों के स्वास्थ्य और अर्थव्यवस्था को प्रतिकूल ढ़ंग से प्रभावित कर रही है। बाजार में उपलब्ध रेफ्रिजरेटर 230 वॉट ए.सी. पर कार्य करते हैं और उन स्थानों पर उपयोगी नहीं होते जहाँ ग्रिड पावर नियमित रूप से उपलब्ध नहीं होती। टीकों, दवाइयों और खराब होने वाले खाद्य उत्पादों के सुरक्षित भंडारण न किए जाने के कारण लोगों के समक्ष आ रही समस्याओं को दूर किए जाने की आवश्यकता है ताकि उनके जीवन स्तर में सुधार लाया जा सके। प्रशीतन के लिए सौर ऊर्जा का उपयोग उपयुक्त संकल्पना है क्योंकि अधिक धूप के समय प्रशीतन की आवश्यकता भी सर्वाधिक होती है। देश के अधिकांश गाँवों जहाँ

विद्युतीकरण नहीं हुआ है अथवा जहाँ बिजली की कमी है, वहाँ अधिकांश समय सूर्य की किरणें विद्यमान रहती है। सौर ऊर्जा के सभी संभावित अथवा वांछनीय अनुप्रयोगों में से शीतन की सबसे अधिक मांग है। यद्यपि सौर ऊर्जा का विभिन्न माध्यमों द्वारा शीतन प्रभाव उत्पन्न करने के लिए उपयोग किया जा सकता है, लेकिन सौर ऊर्जा से उत्पन्न बिजली के उपयोग से वाष्प संपीडन विधि कम क्षमता वाले रेफ्रिजरेटरों जो घरेलू प्रयोजन, चिकित्सा उपयोगों और छोटे सामुदायिक उपयोगों के लिए उपयोगी है, के लिए सबसे अधिक उपयुक्त है।

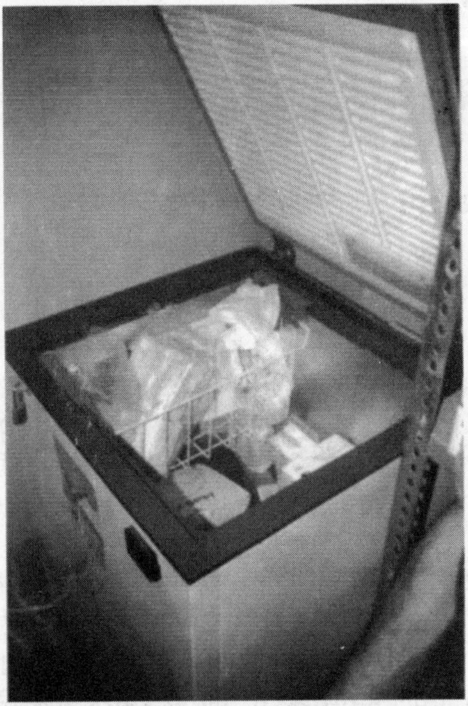

चित्र–18. सौर प्रशीतक

पारंपरिक रेफ्रिजरेटरों को सौर ऊर्जा से बिजली प्रदान की जा सकती है लेकिन रेफ्रिजरेटर चलाने के लिए विद्युत आपूति प्रणाली में बैटरी की डी.सी विद्युत को 230 वॉट ए.सी. में परिवर्तित करने के लिए इन्वर्टर का उपयोग करना होगा। इन्वर्टर के अतिरिक्त इसमें होने वाली क्षति, उच्च आरंभिक करंट और न्यूनतम संस्थापन जो इन

रेफ्रिजरेटरों में प्रयुक्त होते हैं, के कारण इस प्रयोजन हेतु अवश्य विद्युत आपूर्ति प्रणाली अत्यधिक महंगी है।

कई वर्षों के अनुसंधान के पश्चात् गुजरात के सरदार पटेल नवीकरणीय ऊर्जा अनुसंधान संस्थान (स्प्रेरी) ने डीसी संपीडक आधारित स्प्रेरी टेक रेफ्रिजरेटर (चित्र – 18) विकसित किया है जो सौर फोटोवोल्टीय मॉड्यूल की सहायता से प्रभारित स्टोरेज बैटरियों से प्राप्त 24 वॉट डी.सी. विद्युत आपूर्ति पर कार्य करते हैं। टी.डी 80 नामक एक मॉडल ऊपर से खुलता है और इसमें 80 लीटर की भंडारण क्षमता वाले दो कंपार्टमेंट (भाग) है जिनमें प्रशीतन किए जाने वाली विभिन्न अनिवार्य वस्तुओं को भंडारित किया जा सकता है। उपयुक्त ढ़ंग से रखी गई वाष्पक कुण्डलियां रेफ्रिजरेटर में समान तापमान सुनिश्चित करती है कि जिससे बॉक्स में सरलता से सामान रखा जा सके और इसकी साफ सफाई की जा सके।

भारत में सौर ताप ऊर्जा कार्यक्रम

सौरताप यंत्रों का प्रयोग पानी गरम करने, जगह गरम करने, खाना पकाने, सुखाने, पानी को लवणमुक्त करने, औद्योगिक ताप प्रक्रिया, औद्योगिक तथा विद्युत् उत्पादन उपयोगों के लिए वाष्प उत्पन्न करने और रेफ्रिजरेशन प्रणालियों के परिचालन आदि के लिए किया जाता है। निम्न ग्रेड के सौरतापीय यंत्रों (100 डिग्री से. से 300 डिग्री से. तापमान तक गरम करने वाले) का देश में विकास किया गया है और इनका इस्तेमाल किया जा रहा है। 50 लीटर प्रतिदिन से लेकर 20,000 लीटर प्रतिदिन सौर जल उष्मन क्षमता वाली सोलर हीटर प्रणालियाँ देश में स्थापित की जा चुकी हैं। इनका घरेलू, वाणिज्यिक और व्यावसायिक क्षेत्र में उपयोग किया जा रहा है। घरेलू, औद्योगिक तथा वाणिज्यिक क्षेत्रों में अब तक 23 लाख वर्ग मीटर क्षेत्र शामिल किया गया है। देश में वाटर हीटरों का निर्माण आधार स्थापित हो चुका है। देश में 62 बीआईएस अनुमोदित निर्माता हैं तथा 44 एमएनआरई अनुमोदित आपूर्तिकर्त्ता हैं। करीब 6.34 लाख से अधिक सौरकुकरों का भी इस्तेमाल किया जा रहा है। भाप पैदा करने के लिए सौर ऊर्जा संकेन्द्रण संग्राहक लगाए गए हैं। भोजन बनाने के लिए विश्व की सबसे बड़ी सौर वाष्प प्रणाली आंध्र प्रदेश में तिरुमला में स्थापित की गई। इससे 15,000 लोगों का भोजन एक साथ बनाया

जा सकता है। गाँवों में डिश सौर कुकरों को भी बढ़ावा दिया जा रहा है। इनका परंपरागत ग्रिड के साथ विद्युतीकरण किया जा चुका है अथवा किया जाना है ताकि 10 लोगों के लिए तेजी से भोजन बनाया जा सके। ऊर्जा की खपत घटाने और इमारतों को अधिक आरामदेह बनाने के लिऐ सौर अनुकूलन वास्तुकला सिद्धान्तों का प्रयोग करने के भरसक प्रयास किए जा रहे हैं। सौर ऊर्जा से हवा को गरम कर उससे कृषि तथा औद्योगिक उत्पादों को सुखाने की प्रणाली भी उपयोग की जा रही है। इससे पारंपरिक ईंधन की बड़ी बचत हुई है।

भारत में सौर फोटोवोल्टिक कार्यक्रम

भारत को देश के अधिकांश हिस्सों में उच्च सौर विकिरण मिलता है। इस कारण देश में सौर फोटोवोल्टिक प्रणाली के द्वारा सौर ऊर्जा के प्रयोग की उच्च क्षमता मौजूद है। यह प्रणाली सौर ऊर्जा को सीधे बिजली में बदल देती है। सौर फोटोवोल्टिक प्रणाली दूरस्थ तथा ऊर्जा की कमी वाले क्षेत्रों में आवश्यक जरूरतों जैसे – प्रकाश, जल पंपिंग, प्राथमिक चिकित्सा केन्द्रों, सामुदायिक केंद्रों, विद्यालयों को बिजली उपलब्ध कराने के लिए विकेन्द्रीकृत विद्युत् उत्पादन हेतु एक आकर्षक स्रोत बन रहा है। यह प्रणाली टी.वी. ट्रांसमीटर, बैटरी चार्जिंग आदि के लिए विश्वसनीय विद्युत स्रोत है देश में मेगावाट आकार के ग्रिड विद्युत् उत्पादन के लिए मंत्रालय ने 2007–08 के दौरान एक नये निरूपण कार्यक्रम की घोषणा की है। इसके तहत उन परियोजना विकास को उत्पादन आधारित प्रोत्साहन उपलब्ध कराया जाएगा, जो मंत्रालय द्वारा जारी निर्देशानुसार बनाओ–संचालित करो आधार पर सौर विद्युत संयंत्र स्थापित करेंगें। एस.पी. वी. प्रणाली के निर्माण में 80 उद्योग शामिल हैं और 27 उद्योग पी.वी. मॉड्यूल्स के उत्पादन में सम्मिलित हैं। 2007–08 के दौरान लगभग 130 मेगावाट क्षमता के सौर–फोटोवोल्टिक मॉड्यूल्स का उत्पादन किया गया जिनमें से 55 मेगावाट क्षमता का निर्यात किया गया। अब तक देश में 15 लाख से अधिक एस.पी.वी. प्रणालियाँ अनेक प्रकार के अनुप्रयोगों में बिजली दे रही हैं। देश में 31 मार्च, 2008 तक फोटोवोल्टिक माड्यूल्स का कुल उत्पादन 460 मेगावाट से अधिक था, जिसमें से 325 मेगावाट का निर्यात यूरोप, अमेरिका तथा अन्य देशों को किया गया।

फोटोवोल्टिक प्रदर्शन और उपयोग कार्यक्रम के तहत देश में मार्च, 2006 तक 6.70 लाख सौर लालटेनें, 4.03 लाख सौर गृह प्रकाश प्रणालियाँ, 70,500 सौर सड़क–प्रकाश प्रणालियाँ, 7148 सौर जल–पम्पिंग प्रणालियाँ, 2.2 मेगावाट क्षमता के 'स्टैंड–अलोन' बिजली संयंत्र और 2.2 मेगावाट क्षमता के ग्रिड से जुड़े बिजली संयंत्र लगाए जा चुके हैं। इसके अलावा विभिन्न सौर–फोटोवोल्टिक प्रणालियों के उपयोग द्वारा 3985 दुर्गम स्थानों में स्थित गाँवों और 1142 बस्तियों में भी बिजली उपलब्ध कराई गई है।

2. पवन ऊर्जा

वस्तुतः पवन, गतिमान वायु को कहते हैं। पृथ्वी तक पहुँचने वाली कुल सौर ऊर्जा का एक–दो प्रतिशत भाग पवन ऊर्जा में बदल जाता है। बहती हवा से पवन यंत्रों द्वारा विद्युत् का उत्पादन किया जाता है। इसे ही **पवन ऊर्जा कहते** हैं। इस ऊर्जा का उपयोग एक ऐसे बल द्वारा किया जाता है जो रोटर असेंबली को चलाने वाले ब्लेड पर टकराता है और इससे जनित्र (जनरेटर) चलता है जो विद्युत् का उत्पादन करता है।

ऐतिहासिक पहलू

पवन ऊर्जा का उपयोग नया नहीं, वरन् सदियों पुराना है। आज से पाँच हजार वर्ष पूर्व मिस्र के नाविक नील नदी में अपने छोटे जहाज को चलाने के लिए पवन ऊर्जा का उपयोग करते थे। इसके बाद लोगों ने अनाज पीसने के लिए पवन चक्कियों का उपयोग करना आरंभ किया। सबसे प्राचीनतम पवन चक्कियाँ वर्तमान के ईरान और उस समय के फारस में मिलती है। मध्य युग में चार पंखों वाली डच पवन चक्कियों के उद्भव से पवन ऊर्जा का उपयोग लोकप्रिय हुआ। उस समय पायी जानेवाली पवन चक्कियाँ पैडल व्हील की तरह होती थी। इसके पश्चात् फ्रांस निवासियों ने इसमें उर्ध्वाधर धुरी पर थोड़ी तिरछी पंखडियां लगाकर इसे नया आकार दिया। इससे वायु के कटाव में सुविधा हो गई। तदनंतर इसमें समय के साथ परिवर्तन आते गए और इसे पवन चक्की की जगह पवन मशीन का आकार और नाम मिला। साथ ही इनकी उपयोगिता भी बढ़ती गई, जैसे कि पहले इनका उपयोग अनाज पीसने या पानी निकालने के लिए वायु

की गतिज ऊर्जा को यांत्रिक ऊर्जा में बदलने के लिए किया जाता था। परन्तु आज मुख्य रूप से इनका उपयोग विद्युत् उत्पादन के लिए ही किया जाता है। पृथ्वी के वातावरण में वायु निरन्तर गतिमान रहती है। पृथ्वी पर बहनेवाली इस वायु में लगभग 2700 टेरावाट ऊर्जा होती है।

प्राचीनकाल से ही अपारंपरिक ऊर्जा स्रोत के रूप में तो पवन चक्की का महत्व रहा ही है। प्रारंभिक पवन चक्कियों की धुरी थोड़ी तिरछी होती थी। अगले चरण में उर्ध्वाधर धुरी पर थोड़ी तिरछी पंखड़ियां लगायी गई। सदियों बाद हालैंड के प्रवासियों ने इसमें सुधार किए और इसमें नोदुकनुमा फलक लगाकर इसे ऐसा बनाया जिससे यह आसानी से धूम सके। इन पवन चक्कियों के कारण ही सत्रहवीं सदी तक हालैण्ड विश्व के सर्वाधिक औद्योगीकृत देशों में से एक बन गया था। अमेरिका में भी पवन चक्कियों से उन्नीसवीं सदी में गेहूँ पीसने, पानी खींचने या आरा मिलों में लकड़ी चीरने का काम लिया जाता था।

आज जब ऊर्जा की बढ़ती खपत को पूरा करने के लिए परिवर्तनीय ऊर्जा स्रोतों का प्रसंग आता है तो पवन ऊर्जा का नाम सबसे पहले आता है। पवन से ऊर्जा प्राप्ति पर्यावरण के अनुकूल भी है। आज सम्पूर्ण विश्व के जीवाश्म ईंधनों के कारण पर्यावरण में बढ़ती ग्रीन हाउस गैसों की मात्रा को कम करने के लिए पर्यावरण सह ऊर्जा तकनीकों की अनिवार्यता बढ़ती जा रही है। इस कारण भारत सहित अनेक देशों में इस दिशा में लगातार प्रयास किए जा रहे हैं। पवन–ऊर्जा की दिशा में निरंतर प्रगति के ही फलस्वरूप आज यह ऊर्जा के अन्य गैर–पारम्परिक ऊर्जा स्रोतों में महत्वपूर्ण स्थान रखती है।

पवन से ऊर्जा प्राप्ति

वस्तुतः पवन ऊर्जा उच्च कोटि की यांत्रिक ऊर्जा है, जिसको न्यूनतम हानि के साथ विद्युत् ऊर्जा में परिवर्तित किया जा सकता है। पवन ऊर्जा के उपयोग में सबसे पहला चरण वातग्रस्त क्षेत्रों का पता लगाना होता है जिससे अधिक से अधिक पवन ऊर्जा का दोहन किया जा सके। इसके लिए वर्ष 1985 में भारत के अपारंपरिक ऊर्जा स्रोत

मंत्रालय ने बंगलौर स्थित भारतीय उष्ण कटिबंधीय मौसम विज्ञान, संस्थान के साथ मिलकर एक पवन सर्वेक्षण कार्यक्रम आरंभ किया। इसके अन्तर्गत देश के राज्यों और संघ प्रदेशों में पवन मॉनीटरिंग, मानचित्रण और जटिल भू प्रदेश परियोजनाएं आरंभ की गई। इन परियोजनाओं के अन्तर्गत एकत्रित किए गए आंकड़ों के आधार पर तमिलनाडु में 18, गुजरात में 11, आंध्रप्रदेश में 8, कर्नाटक में 8, केरल में 5, महाराष्ट्र में 3 और लक्षद्वीप में 1 उच्च पवन वाले क्षेत्रों को पवन ऊर्जा उत्पादन के योग्य चुना गया। ज्ञातव्य रहे यहाँ वायु की वार्षिक गति दर 18 किलोमीटर प्रति घंटे से भी अधिक प्रेक्षित की गई।

भारत में पवन की कुल अनुमानित ऊर्जा क्षमता 45,000 मेगावाट तक आंकी गई है। जिसमें से केवल तमिलनाडु और गुजरात की ही क्षमता लगभग 10,000 मेगावाट है। आंध्रप्रदेश, कर्नाटक और केरल में भी पवन ऊर्जा के उत्पादन की प्रबल संभावनाएं विद्यमान हैं।

पवन ऊर्जा प्राप्त करने का सिद्धान्त बहुत ही साधारण है। हवा के वेग से टरबाइन के ब्लेड घूमने लगते हैं तथा इससे जनित्र इकाई में बिजली का उत्पादन होता है। यह ब्लेड एवं जनित्र टॉवर के शीर्ष में लगाए गए होते हैं, (इन्हें एक इकाई के अंदर लगाया जाता है जिसे 'नेंसिल' कहते हैं)। प्राचीन काल में पवन चक्कियाँ लकड़ी और कपड़े के विशाल पंखों से निर्मित की जाती थीं। आधुनिक युग में एल्युमिनियम के आविष्कार के फलस्वरूप पवन चक्कियों के पंख अब इसी हलकी धातु के बनाए जाने लगे हैं। इसका लाभ यह है कि पुरातन काल में वे भारी होने के कारण मंद वायु में सुचारु रूप से कार्य नहीं कर पाती थीं, अब हलकी धातु से बनी होने के कारण वे मंद वायु में भी वायु की 60 प्रतिशत शक्ति को यांत्रिक ऊर्जा में परिवर्तित करने में सक्षम हैं। इनकी तकनीकी में एक अन्य परिवर्तन यह हुआ कि अब पूर्वकालीन अनुप्रस्थ चक्कियों के स्थान पर लम्बवत् पवन–चक्कियों का आविष्कार हो गया जिनकी कार्य कुशलता भी अपेक्षाकृत अधिक है।

पवन ऊर्जा की आपूर्ति यद्यपि निशुल्क होती है, परन्तु इसका उपयोग करने में लागत आती है। पवन टरबाइन जनित्र (जनरेटर) के उत्पादन में, रोटर से गुजरनेवाली वायु की गति के अनुसार अंतर

आया करता है। इस संबंध को वैद्युत चक्ररेखा द्वारा दर्शाया जाता है। जब वायु की गति 'कट–इन' गति से बढ़ जाती है तब रोटर ब्लेड घूमने लगते हैं और आवश्यक संदेश पाते ही विद्युत् उत्पादन होने लगता है। निर्धारित वायुगति, वह गति होती है जिस पर निर्धारित विद्युत् गति प्राप्त होती है। वस्तुतः यही वह समय होता है जब ऊर्जा रूपांतरण की क्षमता अधिकांश पवन टरबाइन जनित्रों में अधिकतम पाई जाती है। वायु की कम गति की स्थिति में विद्युत् उत्पादन भी तेजी से कम हो जाता है, क्योंकि विद्युत् उत्पादन, वायु की गति के घन के समानुपाती होता है।

पवन विद्युत् प्रणाली में पवन यंत्र वायु की गतिज ऊर्जा को यांत्रिक ऊर्जा में बदल देते हैं। इसकी संचालक यंत्र प्रणाली में शैफ्ट एवं गियर इस यांत्रिक ऊर्जा को जनित्र में पहुँचाते हैं। जनित्र (जनरेटर) यांत्रिक ऊर्जा को विद्युत् ऊर्जा में परिवर्तित कर देता है। विद्युत् ऊर्जा जनरेटर से निकटतम ग्रिड उप स्टेशन तक पहुँचती है। यहाँ ट्रांसफार्मर विद्युत् वोल्टेज को बढ़ा देता है जिससे बिजली ले जाने वाले तारों में होने वाला नुकसान कम से कम होता है। आजकल पवन ऊर्जा के उत्पादन को राष्ट्रीय ग्रिड से भी जोड़ दिया गया है।

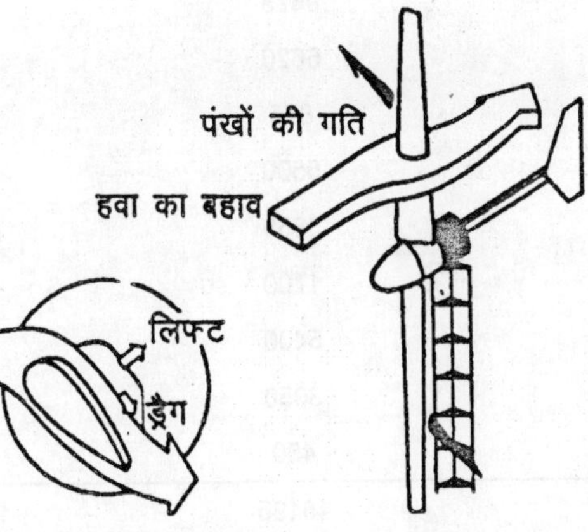

चित्र–19. पवन चक्कियों के चालन का मूल सिद्धान्त

भारत में 1950 के दशक में पहली बार सिंचाई और घरेलू उपयोग के लिए जल उपलब्ध कराने के लिए डीजल या विद्युत्

चालित पम्प सैटों के विकल्प के रूप में पवन चालित जलपंपों का उपयोग किया गया। ये जलपंप राष्ट्रीय वैमानिक प्रयोगशाला, बंगलौर द्वारा विदेश से आयात किए गए थे और उन्हें प्रायोगिक तौर पर अनेक स्थानों पर स्थापित किया गया। इनके अतिरिक्त देश में निर्मित 200 गियर टाइप पंप सैट भी 9 राज्यों में स्थापित किए गए। पवन चक्कियों के चालन के सिद्धान्त को चित्र – 19 में दर्शाया गया है।

परिवर्तनीय ऊर्जा स्रोत के रूप में पवन ऊर्जा का सबसे महत्वपूर्ण उपयोग है इससे बिजली का उत्पादन। भारत में पवन शक्ति की उत्पादन क्षमता एक अनुमान के अनुसार 45,000 मेगावाट है। वर्तमान तकनीकी क्षमता लगभग 13000 मेगावाट है जिसमें 20 प्रतिशत ग्रिड व्यापन माना गया है। यह संभावित राज्यों में ग्रिड क्षमता में वृद्धि होने के साथ–साथ बढ़ेगी। राज्यवार सकल तथा तकनीकी क्षमताएं सारणी – 7 में दी गई है।

सारणी – 7. पवन शक्ति क्षमता (सकल एवं तकनीकी)

राज्य	सकल क्षमता मेगावाट	तकनीकी क्षमता (मेगावाट)
आंध्रप्रदेश	8275	1920
गुजरात	9675	1780
कर्नाटक	6620	1180
केरल	875	605
मध्यप्रदेश	5500	845
महाराष्ट्र	3650	3040
उड़ीसा	1700	780
राजस्थान	5400	910
तमिलनाडु	3050	1880
पश्चिम बंगाल	450	450
योग	45195	13390

देश में 31 दिसम्बर 2004 तक पवन शक्ति क्षमता तथा प्राप्तियाँ को चित्र – 20 में वर्णित किया गया है।

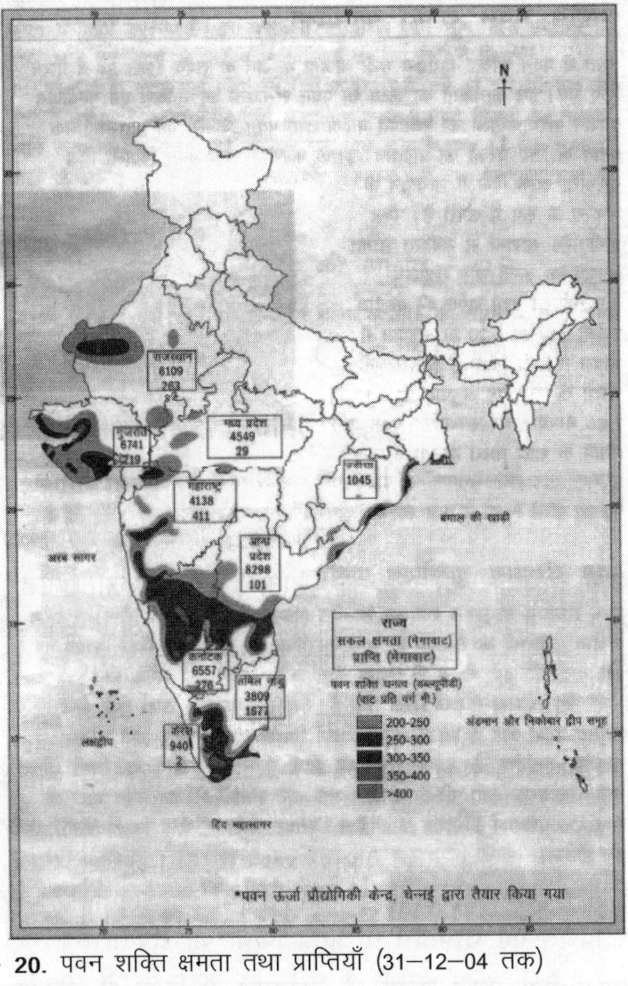

चित्र – **20.** पवन शक्ति क्षमता तथा प्राप्तियाँ (31–12–04 तक)

विद्युत् उत्पादन करने वाली पवन चक्कियों का आकार जलपम्प चलानेवाली चक्कियों से भिन्न होता है। इसमें सबसे बड़ी आवश्यकता इस बात की है कि पवन वेग के कारण पवन चक्की गति में होनेवाले उतार–चढ़ाव को नियंत्रित किया जाए अन्यथा विद्युत् धारा भी घटती–बढ़ती रहेगी। अतः विद्युत् प्राप्त करने के लिए तैयार की गई पवन चक्कियों का आकार विशेष महत्व रखता है। इसके अतिरिक्त पवन चक्कियाँ समानांतर धुरी वाली होती है। पंखों की संख्या कम होने के अलावा इनकी बनावट भी विशिष्ट होती है जिसमें विद्युत् उत्पन्न

करने वाली पवन चक्कियों में अधिकतम 4 मेगावाट वाली पवन चक्कियों का निर्माण हो चुका है। समतल एवं उर्ध्वाधर धुरीवाली पवन मशीन को चित्र – 21 में दर्शाया गया है।

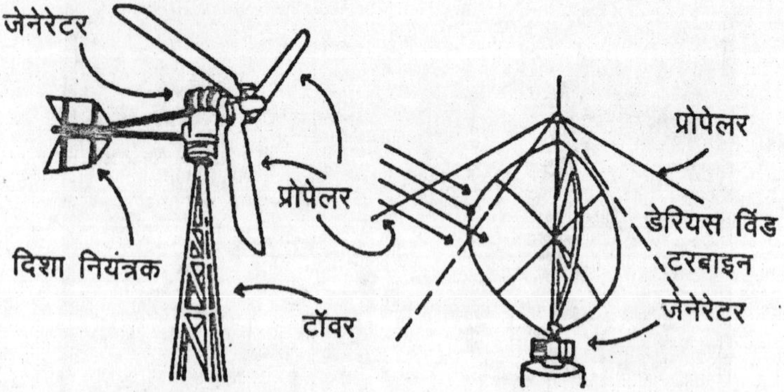

चित्र – 21. समतल एवं उर्ध्वाधर धुरीवाली पवन मशीन

ऊर्जा उत्पादन का एक और स्रोत है "स्टैंड एलोन मोड", जहाँ एकमात्र पवन मशीन ही ऊर्जा उत्पादन का स्रोत होता है। यह मोड लद्दाख जैसे सुदूर एवं पहाड़ी क्षेत्रों में अत्यन्त उपयोगी है। विशेषतः सुदूर क्षेत्रों में, स्थापित 'हाइब्रिड मोड' भी ऊर्जा का ऐसा ही स्रोत है। इसमें पवन मशीन को एक अन्य ऊर्जा स्रोत, जैसेकि डीजल इंजन चालित उत्पादन तंत्र के साथ लगाया जाता है, जिससे चौबीस घंटे बिजली की उपलब्धता बनी रहे। पारंपरिक डीजल चालित सैलों की तुलना में ये हाइब्रिड सिस्टम अधिक उपयोगी होते हैं। इससे न केवल महंगे डीजल ईंधन की खपत को कम किया जा सकता है वरन् कम खर्च पर विद्युत् का उत्पादन भी प्राप्त किया जा सकता है।

हमारा देश पवन ऊर्जा के उत्पादन में विश्व में तीसरा स्थान रखता है। हमारी पवन ऊर्जा उत्पादन क्षमता 1426 मेगावाट है। गुजरात, आंध्रप्रदेश, कर्नाटक, तमिलनाडु, केरल तथा मध्यप्रदेश आदि राज्यों में कई पवन ऊर्जा फार्मों की स्थापना की गई हैं। पवन ऊर्जा फार्मों में एक ही स्थान पर हजारों 'विंडमिल' या पवन टरबाइन एक साथ कार्य करते हैं। देश में पवन ऊर्जा की कुल संभावना 45,000 मेगावाट आँकी गई है, जबकि स्पष्ट रूप से इसके स्तर को और आगे भी बढ़ाया जा सकता है।

प्रारंभ में विकसित देशों से उपयोग में लाए जा चुके टरबाइनों का आयात किया जाता था। परन्तु अब भारत सरकार के सार्थक प्रयासों से घरेलू पवन ऊर्जा टरबाइन के लिए टरबाइन उद्योग का विकास किया गया है। हमारे देश में विश्व की सबसे बड़ी पवन ऊर्जा परियोजना की स्थापना के लिए 208 केन्द्रों की पहचान की गई है, जो इसके लिए उपयुक्त हो सकते हैं।

पवन ऊर्जा की उपादेयता

पवन ऊर्जा के संबंध में सबसे महत्वपूर्ण बिन्दु यह है कि पवन शक्ति से विद्युत् उत्पादन में किसी भी प्रकार के वनों का कटाव, वायु प्रदूषण आदि का खतरा नहीं है। यह पर्यावरण संतुलन को बनाये रखने में कारगर कदम है। पवन ऊर्जा की उपयोगिता निम्नांकित हैं।

(i) पवन शक्ति से पानी की पंपिंग – कृषि पर आधारित विकासशील देशों के लिए पानी की समस्या निरंतर बढ़ रही है। भारत एक विशाल देश है, जहाँ कई किस्म के भू–क्षेत्र, पवन तथा जल की अलग–अलग स्तर पर उपलब्धि, मानसून पर निर्भर कृषि, ग्रामीण दूरस्थ क्षेत्रों में कम साक्षरता तथा सरकार द्वारा प्रदत्त उपकरणों की देखभाल संबंधी प्रेरणा में कमी जैसी विपरीत परिस्थितियाँ विद्यमान हैं।

इस दिशा में गहरे कुओं से पानी निकालने हेतु विशेष गियर टाइप पवन चक्कियों पर ध्यान दिया जा रहा है। पानी को पम्प करने वाली पवन चक्की पीने के पानी, थोड़ी बहुत सिंचाई, नमक की खेती, मछली पालन इत्यादि के लिए पानी उपलब्ध कराने के लिए कुओं, तालाबों तथा बोरिंग से पानी को खींचती है। सामान्यतः सबसे प्रचलित पवन चक्की (चित्र–22) उसे 5.5 मी. व्यास वाली क्षैतिज धूरी रोटर जिसमें 12 से 24 ब्लेड 10 से 20 मीटर ऊँचे इस्पात के टॉवर पर स्थापित होते हैं, होती हैं। यह रोटर जोड़नेवाली सलाखों के माध्यम से 50 से 150 मि.मी. व्यास वाली प्रत्यागामी पम्प के साथ युग्मित होती है। ये पवन चक्कियाँ जब वायु की गति 8 से 10 कि.मी. प्रतिघंटा पहुँचती है तो यह पानी खींचना शुरु कर देती है। आमतौर पर एक पवन चक्की की क्षमता 1000 से 8000 लीटर पानी प्रतिघंटा खींचने की होती है। यह वायुवेग, पानी के स्तर की गहराई तथा पवन चक्की के प्रकार पर भी निर्भर करता है। पवन चक्की 60 मीटर

तक की गहराई से पानी खींचने में सक्षम है। पानी को पम्प करवाने वाली पवन चक्कियों का एक लाभ यह भी है कि इनके परिचालन में किसी भी प्रकार के ईंधन की आवश्यकता नहीं होती है। इस कारण से इन्हें सुदूर वायु वेग वाले क्षेत्रों में स्थापित किया जा सकता है, जहाँ पर पानी को पम्प करके के पारम्परिक तरीके असक्षम होते हैं।

चित्र–22. पानी खींचने हेतु पवन चक्की

तमिलनाडु, पांडिचेरी, गुजरात, महाराष्ट्र, राजस्थान, बिहार तथा कर्नाटक जैसे भारत के सभी राज्यों में पवन पम्प स्थापित किस जा चुके हैं। तथा भारत सरकार इन पर अनुदान भी प्रदान करती है। पवन पंपों की सहायता से अब ग्रामीण जनता को पानी भरने के लिए दूरस्थ स्थानों पर जाने की आवश्यकता नहीं हैं।

(ii) **लवणीयता निवारण** – हमारे देश के बहुत बड़े भू–भाग में लवणीय जल की समस्या है। इस दिशा में पवन ऊर्जा बहुत उपयोगी सिद्ध हुई है। लवणीय पानी को पीने योग्य बनाने हेतु

राष्ट्रीय वैमानिक प्रयोगशाला, बंगलुरु ने पवन ऊर्जा चालित विपरीत रसाकर्षण संयंत्र का संभावित प्रारूप तैयार किया है। इसमें एक उच्च दाबीय पंप को हाई सोलिडिटी रेशों वाले पवन जलपम्प से जोड़ा जाता है। इसमें ऊर्जा के स्थान पर जल का भंडारण किया जाता है। वैज्ञानिकों के अनुसार सौर ऊर्जा चालित संयंत्र की अपेक्षा पवन शक्ति द्वारा संचालित यह यंत्र बहुत सस्ता है।

(iii) **पवन फार्म (विंड फार्म)** – हमारे देश में पवन ऊर्जा की अधिकाधिक प्राप्ति के लिए कई स्थानों पर ऐसे फार्म बनाए गए हैं, जिन्हें विंड फार्म या पवन फार्म कहते हैं, जहाँ पवन चक्कियों को जोड़कर विद्युत् उत्पादन किया जाता है। विंड फार्म ऐसे स्थान पर बनाए जाते हैं, जहाँ पवन की वार्षिक औसत गति 18 किमी प्रति घंटा या पवन में ऊर्जा अंश 2000 किलोवाट घंटा/वर्गमीटर प्रतिवर्ष हो।

इनके लिए बहुत बड़े खुले हवादार स्थानों की आवश्यकता होती है। इसके अलावा पवन की गति और लंबे समय तक एक ही दिशा में हो रहे बहाव को भी ध्यान में रखा जाता है। विंडफार्मों की एक और भी विशेषता है कि विंडफार्म में भूमि का केवल 5–10 प्रतिशत भाग ही पवन विद्युत् उत्पादकों की स्थापना में काम आता है, जबकि शेष खुले क्षेत्र का उपयोग फसल उत्पादन या मवेशियों को चराने के लिए भी किया जा सकता है।

हमारे देश में इस प्रकार के पवन फार्मों की स्थापना का कार्य वर्ष 1985 में आरंभ हुआ था। तब से आज तक पवन फार्मों की स्थापना का कार्य निरंतर जारी है। गुजरात में पोरबंदर से 50 किलोमीटर दूर लंबा गाँव के निकट पवनशक्ति नामक विंडफार्म एशिया का सबसे बड़ा विंडफार्म है जिसकी उत्पादन क्षमता 10 मेगावाट है। अभी तक कुल सात राज्यों में विंडफार्म स्थापित किए जा चुके हैं, जिसमें से गुजरात में ओखा, मांडवी, ओखा मघी और तूना, तमिलनाडु में तूतीकोटिन, कायालार (चित्र–23), पुलियान्कुलम और मुलाकाडु, उड़ीसा में पुरी, महाराष्ट्र में देवगढ़, आंध्रप्रदेश में तिरुमलाई मध्यप्रदेश में खेड़ा और कर्नाटक में तालाकावेरी स्थित विंडफार्म प्रमुख हैं। हमारे देश का अपारंपरिक ऊर्जा स्रोत मंत्रालय इस दिशा में महत्वपूर्ण कार्य कर रहा है। पवन फार्म से उपभोक्ता तक ऊर्जा के पथ को चित्र – 24 में दर्शाया गया है।

चित्र–23. कायालार (तमिलनाडु) स्थित पवन फार्म

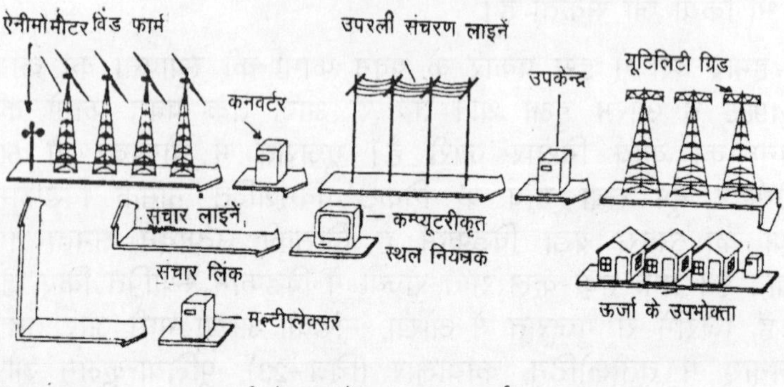

चित्र – 24. पवन फार्म से उपभोक्ता तक ऊर्जा का पथ

(iv) **वायुजनित्र (एरोजनरेटर)** – वायुजनित्र 30 किलोवाट तक की क्षमता वाले लघु पवन विद्युत् जनित्र हैं। वायु जनित्र या तो स्वतंत्र रूप वाली प्रणाली के रूप में संस्थापित किए जाते हैं या इन्हें सौर प्रकाश वोल्टीय प्रणाली (एसपीवी) के साथ विकेन्द्रीय बिजली

उत्पादन के लिए पवन सौर संकर प्रणाली के रूप में संस्थापित किया जाता है। यह पवन जनरेटर उन गैर विद्युतीय क्षेत्रों के लिए उपयुक्त हैं, जहाँ पर अनुकूल वायु गति प्राप्त होती है। इसमें 2 से 3 ब्लेड वाली 1 से 10 मीटर व्यास की रोटर होती है, स्थायी चुंबकीय जनरेटर होता है, नियंत्रण उपकरण, गति बढ़ाने की यंत्र रचना, टॉवर तथा भंडारण बैटरी इत्यादि होते हैं। इस वायुजनित्र के रोटर 9 से 12 कि.मी. प्रति घंटे की वायु गति में घूमना शुरु कर देते हैं और उत्पादन प्रारंभ होने लगता है।

(v) बैटरी चार्जर – पवन ऊर्जा उत्पादकों द्वारा बैटरियों को भी आवेशित किया जा सकता है जिनमें प्रकाश के लिए, रेडियो संचार, चिकित्सा उपकरणों और विभिन्न आपातकालीन उपकरणों के लिए ऊर्जा संग्रहीत की जा सकती है। ये पवन ऊर्जा उत्पादक पवन बैटरी चार्जर कहलाते हैं। ये पवन बैटरी चार्जर ऐसे क्षेत्रों में उपयोगी होते हैं, जहाँ ग्रिड का विस्तार या तेलों की आपूर्ति या तो संभव नहीं होती या फिर बहुत कठिन होती है। भारत में लद्दाख से सिक्किम तक की हिमाचल श्रृंखला, अंडमान, निकोबार और लक्षद्वीप, राजस्थान के रेगिस्तानी क्षेत्रों, उत्तर–पश्चिमी पहाड़ियों, मध्यप्रदेश के घने जंगलों, गुजरात और महाराष्ट्र के तटीय क्षेत्रों, पश्चिमी बंगाल के सुंदरवन और 24 परगना क्षेत्रों में ये अत्यन्त उपयोगी सिद्ध हो रहे हैं।

भारतीय प्रौद्योगिकी संस्थान, चेन्नई और भेल (BHEL) ने डेरियस टाइप 1.5 मेगावाट चार्जर के प्रदर्शन निदर्श तैयार किए हैं जिन्हें तमिलनाडु, गुजरात, उड़ीसा और मध्यप्रदेश में स्थापित किया गया है। ये निदर्श पूर्णरूप से स्वदेशी हैं।

(vi) पवन सौर संकर प्रणाली – जब वायु जनित्र तथा एसपीवी प्रणाली का आपसी मेल किया जाता है तो इन प्रणालियों से शक्ति उत्पादन की आपसी बंटवारे के द्वारा पूर्ति की जाती हैं तथा इसके परिणामस्वरूप जो संकर प्रणाली विकसित होती है वह विकेन्द्रीय प्रणाली के अन्तर्गत विश्वसनीय तथा किफायती बिजली की आपूर्ति प्रदान करती है। पवन सौर्य संकर प्रणाली में मुख्य रूप से 1 या 2 वायु जनित्र (जनरेटर) उपयुक्त क्षमता के एसपीवी पैनल के साथ शामिल होते हैं जो चार्ज नियंत्रक, इनवर्टर, बैटरी बैंक आदि से ए.सी. शक्ति की आपूर्ति के लिए जुड़े होते हैं। इस प्रणाली का मुख्य

लाभ यह है कि ये गैर बिजलीकृत सुदूर क्षेत्रों में जहाँ ग्रिड विद्युत् अभी तक नहीं पहुँची है, उनकी आधारभूत विद्युत् की आवश्यकताएं पूर्ण करती हैं। पवन तथा सौर संघटकों से उत्पन्न होने वाली बिजली को बैटरी बैंक में आवश्यकता के अनुसार उपयोग करने के लिए भंडार करके रखा जाता है।

इस प्रणाली के उत्पादन लागत पर 50 प्रतिशत सब्सिडी उपलब्ध कराई जाती है जो व्यक्तिगत स्तर पर, औद्योगिक तथा अनुसंधान व विकास शैक्षणिक संस्थाओं को 1.25 लाख प्रति किलोवाट की अधिकतम सीमा तक दी जा सकती है। अपारंपरिक ऊर्जा स्रोत मंत्रालय सामुदायिक उपयोग तथा केन्द्रीय/राज्य सरकारों के विभागों द्वारा प्रत्यक्ष उपयोग, रक्षा एवं परासैन्य बल को उत्पादन लागत पर 75 प्रतिशत तक की सब्सिडी उपलब्ध कराता है जिसकी अधिकतम सीमा 2 लाख रुपये प्रतिकिलोवाट है। गैर बिजलीकृत द्वीपों के लिए कार्य पूर्व लागत पर 90 प्रतिशत तक की सब्सिडी दी जा सकती है। जिसकी अधिकतम सीमा 2.4 लाख प्रति किलोवाट है।

पवन ऊर्जा का अंतरराष्ट्रीय परिदृश्य

कैलिफोर्निया आज सम्पूर्ण विश्व में पवन ऊर्जा के साथ–साथ जैविक ऊर्जा, सौर ऊर्जा, भूतापीय ऊर्जा का सबसे बड़ा उत्पादक है। अमेरिका में अमेरिकन विंड पावर के सोलेनो काउन्टी में एक परियोजना ने सौ मिलियन यूनिट विद्युत् उत्पादन करना प्रारंभ किया है। कैलिफोर्निया के पवन विद्युत् उत्पादन में अग्रिम स्थान प्राप्त करने के बावजूद, उसके आधे से अधिक पवन यंत्र डेनमार्क, जो कि सम्पूर्ण राष्ट्र उत्तरी समुद्र की ओर बसा है, से आयात किए गए है। अमेरिका की तुलना में डेनमार्क ने बड़े–बड़े पवन फार्म स्थापित न करके अधिकतर पवन यंत्रों को घरों, खेतों एवं छोटे–छोटे उद्योगों में लगाया है।

ब्रिटेन, जर्मनी, नीदरलैंड, फिनलैंड, स्वीडन व चीन में भी पवन ऊर्जा के विकास से संबंधित नए कार्यक्रम घोषित किए गए हैं। इसी प्रकार स्पेन, पुर्तगाल, इटली, ग्रीस व जापान में भी इस ऊर्जा के उपयोग पर बहुत अधिक राशि का निवेश किया जा रहा है।

भारत में पवन शक्ति कार्यक्रम

भारत को पवन ऊर्जा विकास के क्षेत्र में सर्वाधिक संभावनापूर्ण राष्ट्र माना जा रहा है। हमारे देश के अपारंपरिक ऊर्जा स्रोत मंत्रालय द्वारा पवन ऊर्जा के अधिकाधिक उपयोग हेतु कई महत्वपूर्ण कार्य किए जा रहे हैं जिससे एक ओर तो इन प्रकृति प्रदत्त ऊर्जा का अधिक उत्पादन हो सके और दूसरी ओर आवश्यकतानुसार इसका समुचित भंडारण भी किया जा सके।

पवन ऊर्जा के समुचित उपयोग में बाधक हवा के बहाव की गति और दिशा में होनेवाला परिवर्तन है, क्योंकि भारत में पवन तंत्र विशेषतः मानसूनी या मौसमी हवाओं से प्रभावित होता है। इस कारण गरमी व बरसात में हवा का बहाव अपेक्षाकृत अधिक होता है। अतएव पवन ऊर्जा की उपलब्धता को कायम रखने हेतु इसका भंडारण जरूरी है।

भारत में पवन शक्ति कार्यक्रम छठी योजना के अंत के समय 1983–84 में आरंभ किए गए। इन कार्यक्रमों का लक्ष्य था पवन संसाधनों का सर्वेक्षण एवं मूल्यांकन, प्रदर्शन परियोजनाओं को स्थापित करना तथा पवन बिजली को प्रतिस्पर्धात्मक बनाने के लिए प्रेरकों का प्रावधान। इसके परिणामस्वरूप पवन बिजली ग्रिड गुणवत्ता वाली बिजली उत्पादन के विकल्प के रूप में उभरी है। पवन मॉनीटरिंग स्टेशनों से संबंधित लागत अपारंपरिक ऊर्जा स्रोत मंत्रालय (एमएनईएस) तथा राज्य की केन्द्रीय एजेन्सी द्वारा 80:20 के अनुपात में आपस मे बांटी जाती है (उत्तर पूर्वी राज्यों के लिए यह अनुपात 90:10 है)।

पवन संसाधन मूल्यांकन कार्यक्रम

पवन संसाधन मूल्यांकन कार्यक्रम सी–वैट (पवन ऊर्जा प्रौद्योगिकी केन्द्र) ने राज्य/केन्द्रीय एजेंसियों के समन्वय के साथ कार्यान्वित किया है। 50 मीटर ऊँचाई पर 200 वाट प्रतिवर्ग मीटर से भी अधिक पवन शक्ति घनत्व का वार्षिक मान 211 पवन मॉनीटरिंग स्टेशनों में दर्ज किया गया है। इसके अंतर्गत 13 राज्य तथा केन्द्र शासित प्रदेश आते हैं, जो हैं – अंडमान तथा निकोबार द्वीप समूह,

आंध्रप्रदेश, गुजरात, कर्नाटक, केरल, लक्षद्वीप, मध्यप्रदेश, महाराष्ट्र, उड़ीसा, राजस्थान, तमिलनाडु, उत्तरांचल तथा पश्चिमी बंगाल। इस संदर्भ में अभी तक एकत्रित किए गए पवन डाटा के साथ एक पुस्तिका भी प्रकाशित की गई है। जिसका शीर्षक है "विंड एनर्जी रिसोर्स सर्वे इन इंडिया"।

प्रधान योजनाएँ – आंध्रप्रदेश, गुजरात, कर्नाटक, केरल, मध्यप्रदेश, उड़ीसा, राजस्थान, तमिलनाडु तथा पश्चिम बंगाल के 97 संभावित स्थानों की पवन शक्तियों की प्रधान योजनाएं उपलब्ध हैं। इन प्रधान योजनाओं से पवन, भूमि, ग्रिड उपलब्धता तथा स्थान तक पहुँच से संबंधित जानकारियाँ उपलब्ध होती हैं जिससे परियोजनाओं के प्रोत्साहकों तथा राज्य की केन्द्रीय एजेंसियों को परियोजनाओं से संबंधित उपयुक्त योजना बनाने तथा कार्यान्वित करने में सहायता मिलती है। भविष्य में भी पवन ऊर्जा के उपयोग की कई योजनाएँ बनाई जा रही है जो देश की ऊर्जा संबंधी आवश्यकताओं को पूरा करने में सार्थक सिद्ध होंगी।

3. भू–तापीय ऊर्जा

पृथ्वी के अंदर की चट्टानों, ज्वालामुखियों, गरम जलसोतों और भापकुंडों में निहित ऊर्जा "भू–तापीय ऊर्जा" कहलाती है। पृथ्वी के अंदर लगभग 10^{38} अर्ग के समतुल्य ऊर्जा विद्यमान है। यह ऊर्जा मुख्यतः रेडियोधर्मिक विघटन (यूरेनियम, थोरियम व पोटैशियम आइसोटोप) से उत्पन्न होती है। दूसरे अन्य स्रोत जैसे–गुरुत्वाकर्षण ऊर्जा, ज्वारभाटा से उत्पन्न ऊर्जा पृथ्वी के निर्माण के समय निकली ऊर्जा आदि का भी इसमें योगदान रहता है।

तरुण कार्बनिक पट्टियाँ (यंग ओरोजेनिक), पर्पटीय दरार वाले क्षेत्र तथा पट्टिका किनारे ऐसे स्थान होते हैं, जहाँ लावा उत्पन्न होता है और वह पृथ्वी के अंदर कुछ किलोमीटर तक आ जाता है। यही लावा कोष्ठ भूतापीय ऊष्मा का उस स्थान पर स्रोत होता है। उन स्थानों पर भूतापीय प्रवणक बहुत अधिक होता है। इन क्षेत्रों को भू–तापीय क्षेत्र कहते हैं। और उन स्थानों पर विशेष रूप में भू–तापीय ऊर्जा, अन्य कार्यों के अतिरिक्त बिजली उत्पन्न करने के उपयोग में आती है।

कुछ स्थानों पर वर्षा का पानी पारगम्यता विभंग तथा विवरण के द्वारा पृथ्वी के अंदर कुछ किलोमीटर तक जाता है और पृथ्वी की ऊष्मा से गरम होकर पृथ्वी के अंदर ही सरंध्र तथा पारगामी शैल में जलाशय में एकत्र हो जाता है। इन भू–तापीय जलाशयों में पृथ्वी की ऊष्मा के अनुसार अधिक दबाव का गरम पानी, गरम पानी व भाप का मिश्रण अथवा भाप होती है। पृथ्वी सतह पर गरम पानी के झरने, प्राकृतिक रूप से निकलने वाली भाप, फ्यूमारोल से निकलने से इन भू–तापीय प्रणाली का आभास होता है। विश्व में सर्वप्रथम सन् 1904 में इटली के लार्ड रेलो नामक स्थान में विद्युत् उत्पादन में भूतापीय ऊर्जा संयंत्र स्थापित किया गया, जिसकी क्षमता सन् 1975 में 406 मेगावाट थी। इस संयंत्र की क्षमता को समय–समय पर बढ़ाया गया। इसी प्रकार कैलिफोर्निया एवं न्यूजीलैण्ड में भी क्रमशः 600 मेगावाट और 190 मेगावाट के ऐसे संयंत्र स्थापित किए गए। वैज्ञानिकों का अनुमान है कि इस सदी के अंत तक इस ऊर्जा की क्षमता 17.6 गीगावाट हो जाएगी। वर्तमान समय में अमेरिका, जापान और मैक्सिको भू–तापीय ऊर्जा के दोहन में सबसे आगे हैं। इसके अतिरिक्त हंगरी, आइसलैण्ड, न्यूजीलैण्ड, रूस, इटली व कैलिफोर्निया में भी विभिन्न आवश्यकताओं के लिए भू–तापीय ऊर्जा प्रयोग में लायी जा रही है।

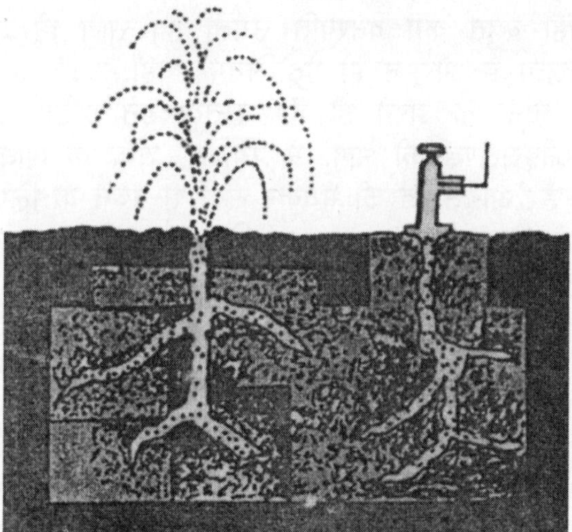

चित्र–25. भूतापीय ऊर्जा

पृथ्वी के अंदर का तापमान चार हजार डिग्री सेंटीग्रेड से अधिक है। इस कारण ज्वालामुखी से लेकर गरम पानी के झरने आदि जमीन से बाहर निकलते हैं।

भारत में भूतापीय ऊर्जा (चित्र–25) की अपार संभावनाएँ हैं। विभिन्न क्षेत्रों में गरम पानी के लगभग तीन सौ चालीस झरने निकलते हैं और इनमें से अधिकतर के स्रोत के समीप का तापमान 100° सेंटीग्रेड से अधिक होता है और उबलता हुआ पानी निकलता है।

भारत में भूतापीय ऊर्जा के दोहन तथा उपयोग पर अन्वेषण कार्य 1973 में त्वरित हुआ, जब पेट्रोल, डीजल बेचने वाले देशों ने अपने उत्पादों की कीमतें अत्यधिक बढ़ा दी। गल्फ युद्ध के दौरान भी वैकल्पिक ऊर्जा स्रोतों की ओर अधिक ध्यान दिया जाने लगा। भूतापीय ऊर्जा का उपयोग हम गरम पानी के झरनों (गीजरों) के रूप में कर रहे हैं। गीजरों के गरम पानी और भाप को ऊर्जा के स्रोत में उपयोग करने के संबंध में जिस देश का नाम सबसे पहले हमारे ध्यान में आता है, वह है आइसलैंड। वस्तुतः यह अपने नाम के अनुरूप 'बर्फ का प्रदेश है, जो अंधमहासागर में, यूरोप और उत्तर अमेरिका के बीच में, एक छोटे से द्वीप के रूप में स्थित है। यहाँ की अधिकांश भूमि वर्ष के अधिक समय तक बर्फ से ढकी रहती है। इसलिए यहाँ बहुत कम वनस्पति उगती है। साथ ही यहाँ न तो कोयला मिलता है और न ही पेट्रोलियम। यहाँ ऊर्जा का एक मात्र स्रोत गरम पानी के झरने ही हैं। वस्तुतः इन झरनों का 'गीजर' नामकरण आइसलैण्ड की भाषा में 'गिशिर' शब्द के आधार पर ही किया गया है। आइसलैंड की भयंकर सर्दी से बचने के लिए घरों को, वर्ष के 365 दिनों में से 330–340 दिन तक, विशेष रूप से गरम रखने की जरूरत होती है। यह कार्य गीजर का गरम पानी और भाप करते हैं। इन गीजरों की सहायता से आइसलैंड में खेती भी की जाती है। संयुक्त राज्य अमेरिका के पश्चिमी तट पर कैलिफोर्निया राज्य में लगभग 20 वर्ग किलोमीटर का क्षेत्र गीजरों से भरपूर है। इससे 40 लाख किलोवाट विद्युत् उत्पन्न की जा सकती है। यह क्षेत्र 'युवा' ज्वालामुखी क्रियाशीलता का क्षेत्र है, जिसमें कई ज्वालामुखी छिद्र स्थित हैं। ज्वालामुखी की संरचना को चित्र–26 में दर्शाया गया

है। ज्वालामुखी क्षेत्रों से भू–तापीय ऊर्जा अधिक सरलता से व कम खर्च पर प्राप्त की जा सकती है।

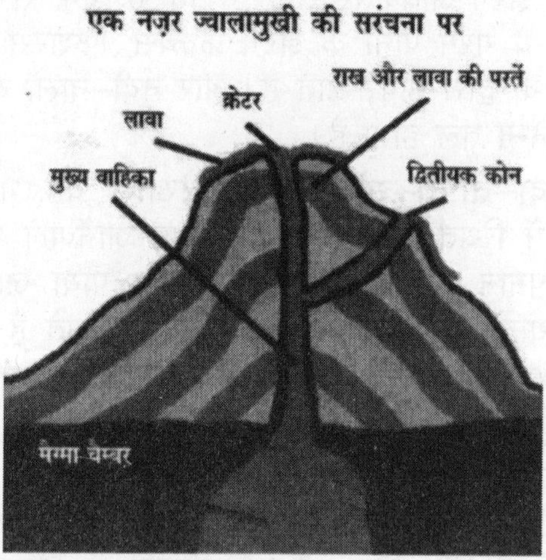

चित्र–26. ज्वालामुखी की संरचना

भारत में जिन क्षेत्रों में भू–तापीय ऊर्जा के लिए अनुसंधान किए गए हैं, वे हैं – पूगा घाटी, चुमथांग, भू–तापीय ऊर्जा क्षेत्र, लद्दाख, जम्मू व कश्मीर, बाखती व्यास, सतलज घाटी, हिमाचल प्रदेश, अलकनंदा घाटी, चमोली (उत्तरप्रदेश), सोहना (गुड़गाँव – हरियाणा), सालबड़ी गरम झरना, महाराष्ट्र इत्यादि।

भारत में भू–तापीय ऊर्जा के क्षेत्रों को चार भागों में विभक्त किया जा सकता है।

1. हिमालय क्षेत्र – गरम पानी के झरनों का तापमान औसत तापमान से कुछ अधिक तथा कुछ स्थानों पर जैसे पुग्गा–चुमताँग, मनीकरण आदि पर उबलते पानी का तापमान जैसा होता है। ऐसा माना जाता है कि ये गरम पानी के झरने, वर्तमान मोसफोजेनिक अवस्था जो हिमालय के विगत वर्षों में हुए व अब भी जारी उत्थान से संबंधित है, के कारण हिमालय में क्षेत्रक दरारें उत्पन्न के कारक हैं। ये गरम पानी के बाहर आने में सहायक होती हैं। कुछ स्थानों पर प्राकृतिक भाप भी निकलती है। हिमालय के भूतापीय क्षेत्रों का तापमान भू–रासायनिक तापमापी से 120° सेंटीग्रेड से 240° ± 20° सें. आंका गया है।

2. कोंकण समुद्री तट – भारत के पश्चिमी समुद्रीय किनारे के समानांतर जानेवाली पर्वतीय श्रृंखला में लगभग 21 स्थानों पर गरम पानी के झरनें अधिकतर समूह में 16°30° एन. से 20° एन. तक पाए जाते हैं। ये गरम पानी के झरने फ्रैक्चर्स, फिशरस, शीयर जोन्स तथा डाईकस के द्वारा ऊपर आते हैं। और नदी–नालों के किनारे पाए जाते हैं, जो निम्न तल होता है।

3. नर्मदा–ताप्ती–सोन स्थलानुरेखा– यह भारत भूमि के लगभग मध्य में स्थित है। इस क्षेत्र में पाए जानेवाले गरम पानी के झरनों का तापमान 32° सें. से 98° सें. तक पाया जाता है। इसमें लगभग 16 स्थानों पर गरम पानी के झरने निकलते हैं, जिनके पानी का तापमान 60° सें. से 98° सें. तक पाया जाता है। इन भूतापीय क्षेत्र का तापमान 160 + 20° सें. आकलन किया गया है।

4. वर्धा परिनिता गोदावरी क्षेत्र – इस क्षेत्र में पाए जानेवाले अधिक गरमपानी के झरनें नदियों के किनारे पाए जाते हैं, जिनका तापमान इस क्षेत्र के वार्षिक औसत तापमान से थोड़ा अधिक पाया गया है। सबसे अधिक गरम पानी का तापमान 62° सें. अग्नि गुण्डाला क्षेत्र में मिला। इस क्षेत्र के नाम से स्वयं विदित होता है, जहाँ जमीन में अग्नि निहित हो।

इसके अतिरिक्त भारतवर्ष में कम तापमान के गरम पानी के झरनें अन्य स्थानों पर भी पाए जाते हैं।

उपर्युक्त विवरण के अनुसार इन भूतापीय ऊर्जा क्षेत्रों को निम्नांकित क्षेत्रों में पुनः बांटा जा सकता है।

(i) **अधिक तापवाले (150° सें.) भूतापीय क्षेत्र** – ये अधिकतर हिमालय में पाए जाते हैं, जैसे पुग्गा, मनीकरण (हि.प्र.), अंडमान निकोबार तथा अग्नि कुण्डाला क्षेत्र आदि।

(ii) **मध्य तापमानवाले (150 – 80° सें.) भूतापीय क्षेत्र** – ये भारतीय क्षेत्र में अधिकतर पाए जाते हैं तथा देश के कई राज्यों में प्रेक्षित किए गए हैं।

(iii) **कम तापमानवाले (80° सें.) भूतापीय क्षेत्र**–ये बहुत कम संख्या में हैं। विशेषतः ये अवसादी क्षेत्र में पाए जाते हैं।

(iv) अधिक दबाव तथा मध्य तापमान वाले भूतापीय क्षेत्र कैम्बे बेसिन में पाए जाते हैं।

किसी भूतापीय क्षेत्र में ऊर्जा की मात्रा तथा उसके उपयोग के आधार पर क्रमबद्ध तरीके से उस क्षेत्र में खोज तथा दोहन किया जाता हैं। जिन क्षेत्रों में अधिक दाब व तापमान का पानी/भाप विद्युत् उत्पादन के उपयोग में आ सकता है, उन्हें संभावित भूतापीय क्षेत्र कहते हैं। लद्दाख में पुग्गा एक ऐसा ही क्षेत्र है, जहाँ एकत्रित ऊर्जा 40×10^{18} कैलोरी आंकी गई है। इस क्षेत्र से 220 मेगावाट विद्युत्, 30 वर्ष तक उत्पन्न की जा सकती है। इससे प्रतिवर्ष 60,000 करोड़ रुपये की बचत हो सकती है।

भूतापीय क्षेत्रों को ढूंढने के लिए विभिन्न प्रकार की तकनीक, जैसे – भूगर्भीय, भू रासायनिक तथा भू–भौतिकीय आदि उपयोग में लायी जाती है। उसके पश्चात् उन क्षेत्रों में कुछ विशेष स्थानों पर वेधन किया जाता है। हमारे देश में किए गए अनुसंधान परिणामों से विदित होता है कि सभी भूतापीय क्षेत्र का गरम पानी सामान्य भू–तापीय प्राकृतिक भाप की तरह का नहीं है। अतः द्वीकर्मो चक्र का उपयोग करके यहाँ विद्युत् उत्पन्न की जा सकती है। सीधे रूप में इन क्षेत्रों का गरम पानी विद्युत् उत्पादन के अलावा अन्य उपयोगों में लाया जा सकता है।

उपयोग – भारतीय भूतापीय क्षेत्रों का गरम पानी मुख्यतः द्वीकर्मो चक्र विधि से विद्युत् उत्पादन के उपयोग में आ सकता है। विशेष रूप से चीन सीमा के समीप पुग्गा भूतापीय क्षेत्र में विद्युत् उत्पादन देश के हित में आवश्यक है। क्योंकि अधिक सर्दी के कारण विद्युत् उत्पादन के लिए पेट्रोल प्रयोग करना पड़ता है, जिसमें विदेशी मुद्रा बहुत खर्च होती है। इसके अतिरिक्त गरम पानी का उपयोग करके पुग्गा चुमताँग में ग्रीन हाउस बनाये जा सकते हैं। यहाँ सब्जियाँ आदि उत्पन्न की जा सकती हैं।

इस गरम पानी का प्रयोग करके, ठंडे स्थानों पर सामान्य ताप–मान वाले बड़े–बड़े गोदाम बनाए जा सकते हैं, जहाँ इनका उपयोग भेड़पालन, मुर्गी पालन, कुकरमुत्ता उत्पादन तथा मछली उत्पादन के लिए किया जा सकता है। गरम पानी का उपयोग कालीन, शॉल, रेशमी वस्त्रों को बनाने की प्रक्रिया में किया जा सकता है।

इसका उपयोग फल, आलू आदि को संरक्षित करने के लिए भी किया जा सकता है। इस पानी का उपयोग स्थानीय कृषि और वन

के उत्पाद तैयार करने, सामान्य तथा नकद फसल को सुखाने और प्रोसेस करने एवं हल्के सामान बनाने में किया जा सकता है।

मैदानी क्षेत्रों में यह गरम पानी विभिन्न प्रकार के उद्योगों, यथा– सिरेमिक तथा इलेक्ट्रॉनिक, आदि के काम आ सकता है। भारत के भूतापीय क्षेत्रों को चित्र–27 में दर्शाया गया है।

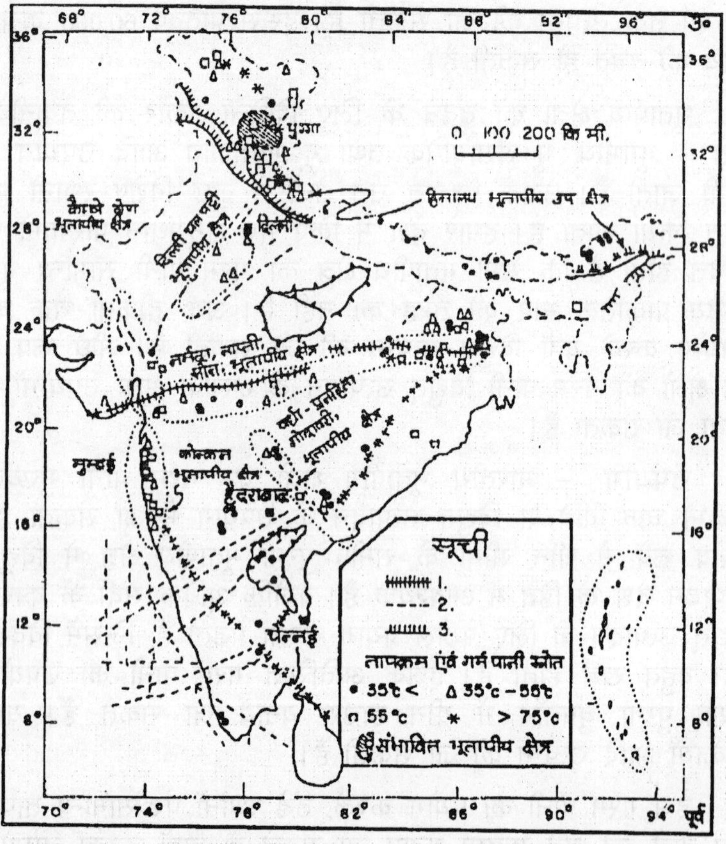

चित्र–27. भारत के भूतापीय क्षेत्र

भूतापीय ऊर्जा के क्षेत्र में कमी इस बात की है कि इसके स्रोतों का पुनर्नवीकरण संभव नहीं है। इसका मुख्य कारण यह है कि जिस गति से पृथ्वी के भीतर से इसका दोहन होता है उस गति से यह उत्पन्न नहीं होती है। अतएव इस स्रोत की क्षमता बहुत सीमित हो

जाती है। अब वह दिन दूर नहीं, जब भूतापीय क्षेत्रों के पानी का उपयोग, विद्युत् उत्पादन के अतिरिक्त, अन्य औद्योगिक कार्यों में होगा। इसके प्रयोग से प्रदूषण भी नहीं फैलेगा। भूतापीय ताप पंप को चित्र – 28 में दर्शाया गया है।

चित्र– 28. भूतापीय ताप पंप

4. बायोगैस ऊर्जा

हमारे देश में इसे गोबर गैस के नाम से जानते हैं क्योंकि मूलतः यह पशुओं के गोबर से तैयार होती है। ऊर्जा उपभोग के निरंतर बढ़ने और जीवाश्म ईंधन भंडार के वर्तमान में घटते परिदृश्य में बायोमास आधारित विकेन्द्रीकृत ईंधन जैसे बायोगैस का महत्व और बायोगैस आधारित विद्युत् उत्पादन बहुत बढ़ गया है। यह ग्रामीण ऊर्जा आवश्यकताओं हेतु एक सुस्थापित नवीकरणीय और पर्यावरण अनुकूल ईंधन है। बायोगैस ग्रामीण उपभोगों हेतु अत्यधिक उपयुक्त है, जहाँ पर अपेक्षित मानव और पशुमल तथा कृषि अपशिष्ट अत्यधिक मात्रा में उपलब्ध होता है। ऐसे संसाधन के उपयोग द्वारा ग्रामीण उद्योगों, कृषि और दुग्ध, कृषि एवं पशुपालन को बृहद् रूप में प्रोत्साहित किया जा सकता है। इससे ग्रामीण क्षेत्रों में रोजगार को भी

बढ़ाया जा सकेगा और शहरों की ओर पलायन को कम करने में सहायता मिलेगी।

बायोगैस एक पर्यावरण अनुकूल, साफ, सस्ता और अच्छा ईंधन है। इसका उत्पादन विघटनीय अपशिष्टों जैसे – गोबर, सब्जियों का कूड़ा, भेड़ और मुर्गी इत्यादि का मल, नगर निगम का ठोस कचरा, सीवरेज का पानी और लैंडफिल के अवायवीय (एनेरोबिक) अपचयन से किया जाता है। वर्तमान में बायोगैस का उपयोग मुख्यतः भोजन बनाने तथा प्रकाश के लिए किया जा रहा है।

बायोगैस का रासायनिक संगठन

बायोगैस एक ज्वलनशील गैसीय मिश्रण है। इसमें 55–65 प्रतिशत मीथेन, 30–40 प्रतिशत कार्बन डाइ ऑक्साइड, 1.2 प्रतिशत हाइड्रोजन, 1 प्रतिशत हाइड्रोजन सल्फाइड 0.8 प्रतिशत कार्बन मोनो ऑक्साइड, 1.0 प्रतिशत नाइट्रोजन एवं 0.9 प्रतिशत ऑक्सीजन होती है। बायोगैस वायु से लगभग 20 प्रतिशत हल्की होती है तथा इसका मुख्य अवयव मीथेन गैस है, जो कि ज्वलनशील होती है। मीथेन के जलने से धुंआरहित लौ निकलती है तथा किसी प्रकार का प्रदूषण नहीं होता है। इसके जलने पर चमक भी नहीं होती है। बायोगैस गंधहीन गैस है तथा इसकी ऊष्मा क्षमता भी अधिक होती है। बायोगैस को सामान्य तापमान पर तरल अवस्था में परिवर्तित नहीं किया जा सकता है। इसमें से कार्बन डाइ ऑक्साइड को निकालकर सिलेंडर में संपीडित करने से इसका ट्रांसपोर्ट सरलता से किया जा सकता है।

पशुधन और बायोगैस

हमारा भारत गाँवों का देश है। कृषि ग्रामीण अर्थ व्यवस्था का मेरुदण्ड है। ग्रामीण अर्थ व्यवस्था में पशुधन का महत्वपूर्ण स्थान है। पशुधन के मामले में विश्व में हमारे देश का प्रथम स्थान है। विश्व की कुल भैसों का लगभग 57 प्रतिशत एवं गाय–बैलों का 15 प्रतिशत भारत में हैं। वर्तमान में हमारे देश में पशुओं की जनसंख्या 48.5 करोड़ है। जिसमें प्रतिवर्ष लगभग 20 लाख पशुओं की और बढ़ोतरी हो जाती है। हमारे देश में उपलब्ध पशुओं से प्राप्त गोबर से देश में

1 करोड़ 20 लाख 50 हजार बायोगैस संयंत्रों का संचालन किया जा सकता है। अपारम्परिक ऊर्जा स्रोत मंत्रालय के 2005–06 के वार्षिक प्रतिवेदन के अनुसार हमारे देश में मार्च 2006 तक बायोगैस परियोजना के अन्तर्गत 38.34 लाख बायोगैस संयंत्र एवं 3952 सामुदायिक/संस्थागत/शौचालय आधारित बायोगैस संयंत्र स्थापित किए जा चुके हैं। अतः आंकड़ों से स्पष्ट विदित होता है कि हमारे देश में बायोगैस के विकास की असीम संभावनाएं विद्यमान हैं।

देश के ग्रामीण क्षेत्रों में लगभग प्रतिवर्ष जितना गोबर होता है इसका 50 प्रतिशत भाग तो अनुचित तरीके से नष्ट कर दिया जाता है। वैज्ञानिकों के अनुसार एक टन गोबर को कंडे (उपले) के रूप में जलाने से मात्र 58, 750 कैलोरी ऊर्जा ही प्राप्त होती है, जबकि उतने ही गोबर की गैस से 1,14,000 कैलोरी ऊर्जा प्राप्त होती है। इसके अतिरिक्त इसके साथ ही उत्तम किस्म का खाद भी प्राप्त होती है।

बायोगैस परियोजना

देश में बायोगैस को महत्वपूर्ण अपारम्परिक ऊर्जा स्रोत के रूप में विकसित करने के लिए सन् 1981–82 में राष्ट्रीय बायोगैस विकास परियोजना प्रारंभ की गयी थी। वर्तमान में इस परियोजना का संचालन भारत सरकार के अपारंपरिक ऊर्जा स्रोत मंत्रालय द्वारा किया जा रहा है। इस परियोजना के मुख्य उद्देश्य निम्नलिखित हैं।

1. ग्रामीण क्षेत्रों में अपारम्परिक ऊर्जा के विकास हेतु बायोगैस संयंत्रों का निर्माण करवाकर स्वच्छ एवं प्रदूषण रहित ईंधन उपलब्ध करवाना;
2. उत्तम जैविक खाद उपलब्ध करवाना;
3. जलावन लकड़ी की बचत से वन क्षेत्रों को सुरक्षित रखकर, पर्यावरण को संतुलित करना;
4. ग्रामीण क्षेत्रों में बायोगैस का उपयोग रोशनी के लिए तथा द्वि–ईंधनीय इंजन को चलाने में करना;
5. ग्रामीण स्त्रियों एवं बच्चों को श्रम–साध्य जीवन से मुक्त कर उनके जीवन को सरस बनाना;
6. ग्रामीण बेरोजगार युवकों को रोजगार प्रदान करना।

बायोगैस का उत्पादन – जैविक पदार्थों से बायोगैस का उत्पादन तीन चरणों में होता है –

पहला चरण – इस चरण में गोबर, मलमूत्र एवं अन्य पदार्थों को अच्छी तरह मिलाकर इसको डाइजेस्टर (संपाचित्र) में डाल दिया जाता है। मूलतः यहाँ जल अपघटन की क्रिया सम्पन्न होती है।

दूसरा चरण – यह चरण एक विशेष प्रकार के जीवाणुओं द्वारा सम्पन्न होता है जिनको हम एसिडोजेनिक जीवाणु कहते हैं। इस चरण में बायोगैस के उत्पादन में कार्बन/नाइट्रोजन का अनुपात महत्वपूर्ण होता है। यह लगभग 25/1 होना चाहिए। कुछ ऐसिडोजेनिक जीवाणुओं के नाम तथा विशेषताएं निम्नांकित है। ये जीवाणु अनॉक्सी वातावरण में अच्छी तरह उत्पन्न होते हैं।

जीवाणु	पी एच मान	तापमान (°सें.)
बेसिलस सीरीअस (*Bacillus cereus*)	5.2	25–30
बेसिलस नीहलीकेम्पी (*Bacillus knelfekampi*)	5.2–8.0	25–35
बेसिलस मेगाटीरियम (*Bacillus megaterium*)	5.2–7.5	28–35
बैक्टीरिओडेस सक्सीनोजीन्स (*Bacteriodes succinogenes*)	5.2–7.5	25–35
क्लोसट्रीडीयम कोमोफीटीडम (*Clostridium comofoetidum*)	5.0–8.5	25–37
क्लोसट्रीडीयम डीसोल्वेन्स (*Clostridium dissolvens*)	5.0–8.5	35–51
क्लोसट्रीडीयम थेमोसेल्यूलेसीयम (*Clostridium theymocellulaseum*)	5.0–8.5	55–65
सुडोमोनास फोर्मीकेन्स (*Pseudomonas formicans*)	–	33–42
रूमीनोकोकस फ्लेवीफेसीन्स (*Ruminococcus Flavifaciens*)	–	33–38

तीसरा चरण – इस चरण में जीवाणुओं की संख्या में वृद्धि होती है तथा जैव रासायनिक क्रिया द्वारा सेलुलोज से वाष्पशील अम्ल, एसीटिक अम्ल, कार्बन डाइ ऑक्साइड एवं हाइड्रोजन बनती है। यह चरण बायोगैस बनने की प्रक्रिया में महत्वपूर्ण योगदान करता है। इस चरण को सही रूप से संचालित करने के लिए विशेष प्रकार के जीवाणुओं द्वारा संपादित किया जाता है जिन्हें मीथेन उत्पादक

जीवाणु कहते हैं। इनके नाम तथा उत्पादों को सारणी–8 में वर्णित किया गया है। तथा रासायनिक प्रतिक्रिया निम्नवत होती है।

सारणी – 8. मीथेन बनाने वाले जीवाणु और उनके उत्पाद

मीथेन कीटाणुओं की प्रजातियाँ	ऑक्सीकृत होने वाले पदार्थ
मीथेनोबैक्टीरियम फार्मीकम (*Methanobacterium formicum*)	हाइड्रोजन, कार्बन मोनोऑक्साइड, फार्मेट
मीथेनोबैक्टीरियम ओमेलीएनस्की (*Methanobacterium Omelianski*)	हाइड्रोजन, एथेनॉल, प्राथमिक एवं द्वितीयक एल्कोहल
मीथेनोबैक्टीरियम सबऑक्सीडेन्स (*Methanobacterium suboxydans*)	ब्यूटाइरेट, वैलिरेट, कैप्रोरेट
मीथेनोबैक्टीरियम बर्कयरी (*Methanobacterium barkerii*)	हाइड्रोजन, कार्बन मोनो ऑक्साइड, मेथेनॉल, एसीटेट

$$CH_3COOH \rightarrow CH_4 + CO_2$$

$$4\,CH_3\,CH_2\,COOH + 2\,H_2O \rightarrow 7\,CH_4 + 5\,CO_2$$

$$2\,CH_3\,CH_2\,CH_2COOH + 2\,H_2O \rightarrow 5\,CH_4 + 3\,CO_2$$

$$2\,CH_3\,CH_2\,OH \rightarrow 3\,CH_4 + CO_2$$

$$CH_3\,COCH_3 + H_2O \rightarrow 2\,CH_4 + CO_2$$

ये जीवाणु अनॉक्सीकृत अवस्था में अधिक क्रियाशील होते है और उनको अम्लीय माध्यम और अधिकतम तापमान की आवश्यकता होती है। इन चरणों को संतुलित करने से बायोगैस में मीथेन गैस की मात्रा 20–25 प्रतिशत बढ़ जाती है।

बायोगैस के उत्पादन को प्रभावित करनेवाले कारक

(अ) वातावरणीय कारक – इसमें विशेष रूप से वाष्पशील अम्ल की मात्रा, तापमान, पोषक तत्त्वों की उपलब्धता, आविषालु पदार्थों की उपस्थिति तथा पी.एच. मान आदि प्रमुख हैं।

(ब) मीथेन बनाने वाले जीवाणु अम्लीय माध्यम के प्रति बहुत संवेदी होते हैं। और मीथेन का उत्पादन 7 से 7.2 पी.एच. मान के

मध्य अधिक मात्रा में करते हैं। अम्लीयता बढ़ने पर मीथेन का उत्पादन बहुत घटने लगता है। अतः इस बढ़ते हुए अम्ल को किसी क्षारीय पदार्थ डालकर, जैसे चूने का पानी मिलाकर, कम किया जा सकता है और मीथेन का उत्पादन बढ़ाया जा सकता है। मीथेनोजेनिक जीवाणु 35–40° सें. तापमान में अच्छी तरह से बढ़ते हैं। अतः वातावरण एक महत्वपूर्ण घटक है।

हमारे देश में वातावरण का तापमान बदलता रहता है। अतएव मई–जून में मीथेनोजेनिक जीवाणुओं की क्रियाशीलता बढ़ जाती है और गैस का उत्पादन अधिक होता है, जबकि सर्दी में बहुत कम हो जाता है।

(स) मीथेन गैस के उत्पादन को बढ़ाने हेतु अनॉक्सीकृत माध्यम के अलावा टैंक में उपस्थित सभी कार्बनिक पदार्थों को भली–भाँति मिलाने की तरफ भी ध्यान देना चाहिए जिससे लगातार कार्बनिक पदार्थों का विघटन होता रहे और गैस का उत्पादन सुचारू रूप से चलता रहे। कुछ प्रयोगों द्वारा प्रेक्षित किया गया है कि यदि बायोगैस का कुछ भाग वापस संपाचित्र (डाइजेस्टर) में भेजकर या किसी दूसरी विधि से मिलाया जाये तो बायोगैस में 40 प्रतिशत तक वृद्धि हो सकती है।

बायोगैस में मीथेन, कार्बन डाइ ऑक्साइड तथा अन्य गैसें, जैसे– हाइड्रोजन, कार्बन मोनो ऑक्साइड, नाइट्रोजन, ऑक्सीजन और हाइड्रोजन सल्फाइड शामिल होते हैं। गैस का मिश्रण भाप से सम्मिश्रित होता है। तथा इसके अंदर धूल के कण भी विद्यमान हो सकते हैं। इन गैसों का आपेक्षिक प्रतिशत निवेशी सामग्री की गुणवत्ता और प्रक्रिया परिस्थिति पर निर्भर करता है। गैस में मीथेन का प्रतिशत उसका कैलोरी मान तय करता है क्योंकि अन्य संघटक ऊर्जा अंश में कोई भी योगदान नहीं देते हैं। बायोगैस में मीथेन का अंश अत्यधिक उच्च मात्रा में होता है यानी 60 प्रतिशत तक। इस कारण उच्च कैलोरी मान प्राप्त होता है जिसका उपयोग विद्युत् उत्पादन जैसे कई ऊर्जा अनुप्रयोगों में किया जा सकता है। सारणी – 9 में विभिन्न ईंधनों के कैलोरी मान की तुलनात्मक विवरण दिया गया है।

सारणी – 9. विभिन्न ईंधनों की कैलोरीमान की तुलना

ईंधन	कैलोरीमान (अनुमानित)
प्राकृतिक गैस	8600 किलो कैलोरी / $मी.^3$
द्रवित पेट्रोलियम गैस (एलपीजी)	10800 किलो कैलोरी / कि.ग्रा.
मिट्टी का तेल (कैरोसिन)	10300 किलो कैलोरी / कि.ग्रा.
डीजल	10700 किलो कैलोरी / कि.ग्रा.
बायोगैस	5000 किलो कैलोरी / $मी.^3$

संसमृद्धि अर्थात् कार्बन डाइ ऑक्साइड, हाइड्रोजन सल्फाइड और जलवाष्प को निकालने के लिए कई प्रक्रियाएं हैं। सामान्यतया कार्बन कार्बन डाइ ऑक्साइड को निकालने की प्रक्रिया से हाइड्रोजन सल्फाइड भी निकल जाती है। इसका सबसे सरल और सस्ता उपाय है दाबकृत जल का अवशोषक तरल के रूप में उपयोग करना। इस विधि में बायोगैस को दाबकृत करके स्क्रबर कॉलम के निचले तल पर डाला जाता है, जहाँ शीर्ष से जल को स्प्रे किया जाता है। प्रतिधारा प्रचालित अवशोषण प्रक्रिया में बायोगैस में विद्यमान कार्बन डाइ ऑक्साइड और हाइड्रोजन सल्फाइड नीचे की ओर जा रहे जल में अवशोषित हो जाते हैं। और मीथेन ऊपर की ओर आ जाती है तथा पात्र में एकत्रित हो जाती है। यद्यपि इस प्रक्रिया में अत्यधिक पानी की आवश्यकता होती है तथापि यह बायोगैस से अशुद्धियां दूर करने की सबसे अधिक साधारण विधि है।

बायोगैस संयंत्र के घटक : ये निम्नलिखित हैं।

(i) **मिश्रण टैंक** – निवेशी सामग्री (गोबर) को मिश्रण टैंक में जमा किया जाता है। फिर उसमें आवश्यकतानुसार पानी मिलाया जाता है और समांगी (होमोजीनस) गाटा (स्लरी) तैयार होने तक सामग्री को अच्छी तरह मिलाया जाता है।

(ii) **निवेशी पाइप** – कार्यद्रव (सबस्ट्रेट) का संपाचित्र (डाइजेस्टर) में विसर्जन निवेशी पाइप / टैंक के द्वारा किया जाता है।

(iii) **संपाचित्र या पाचक (डाइजेस्टर)** : गारा संपाचित्र (पाचक) के अंदर किण्वन प्रक्रिया से गुजरता है और जीवाणुओं की क्रिया के कारण बायोगैस का उत्पादन होता है।

(iv) **गैस होल्डर या गैस भंडारण डोम** : बायोगैस गैस होल्डर में एकत्रित की जाती है। इसमें गैस तब तक जमा रहती है, जब तक उसकी खपत न हो।

(v) **निर्गमन पाइप** : पाचित गाटा निर्गमन टैंक में या ता निर्गमन पाइप के द्वारा या फिर संपाचित्र में दिए गए मार्ग के द्वारा विसर्जित होता है।

(vi) **गैस पाइप लाइन** : गैस पाइप लाइन गैस को उपयोग के बिन्दु तक ले जाती हैं, जैसे चूल्हा या लैंप।

बायोगैस उत्पादन को चित्र–29 में दर्शाया गया है।

चित्र – 29. (अ) बायोगैस संयंत्र (ब) बडे आकार का बायोगैस संयंत्र

बायोगैस संयंत्र के प्रकार

बायोगैस संयंत्र तीन प्रकार के होते हैं, जो निम्नलिखित हैं।

1. स्थिर डोम : स्थिर डोम बायोगैस संयंत्र (चित्र– 30) में एक निचला खंड (पाचक या संपाचित्र) के लिए होता है। और उसके ऊपर एक अर्धगोला होता है (पाचक तथा गैस होल्डर दोनों के लिए)। मिश्रण टैंक डाइजेस्टर से 15 सें.मी. की एस्बेस्टिस सीमेंट पाईप के द्वारा जुड़ा हुआ होता है। संपाचित्र में दिए गए निर्गमन छिद्र से गारे को निर्गमन टैंक में धकेल दिया जाता है और निर्गमन टैंक में दिए गए एक अन्य छिद्र से आप्लावन होता है।

चित्र 30. स्थिर डोम

2. प्लावी ड्रम : प्लावी ड्रम बायोगैस संयंत्र (चित्र– 31) में एक गहरा कुएं के आकार का भूमिगत संपाचित्र होता है जो निवेशी एवं निर्गमन पाइपों से जुड़ा हुआ रहता है। हल्के स्टील से बना गैस भंडारण ड्रम गारे के ऊपर उल्टा करके रखा जाता है जो कि गैस के जमा होने तथा निकासी के अनुरूप गाईड पाईप पर ऊपर तथा नीचे होता रहता है।

चित्र – **31.** प्लावी ड्रम

3. बैग : यह रबरीकृत नायलॉन के रेशे से बना हुआ होता है। बैग प्रकार (चित्र–32) का बायोगैस संयंत्र एक सुवाह्य इकाई है जिसे सुविधाजनक रूप से किसी भी स्थान पर रखा जा सकता है।

चित्र – **32.** बैग

तकनीकी आवश्यकताओं के आधार पर उपयुक्त नमूने का चयन किया जा सकता है, जैसे – स्थान, रसोई के बीच की दूरी

तथा पशुशाला, गोबर तथा पानी की उपलब्धता, लाभकर्त्ता की प्राथमिकताएँ और अन्य आवश्यकताएँ।

बायोगैस के विभिन्न मॉडलों में दीनबन्धु मॉडल सबसे लोकप्रिय है, क्योंकि इसकी स्थापना में सबसे कम लागत आती है। यह ईंट, सीमेंट एवं बालू का बना होता है। दीनबन्धु मॉडल का निर्माण स्वीकृत मानदंडों के अनुसार प्रशिक्षित कारीगर से करवाना चाहिए अन्यथा रिसाव की समस्या उत्पन्न हो जाती है।

इनलेट या प्रवेश द्वार जिसमें गोबर को पानी के साथ 1:1 के अनुपात में मिलाकर घोल बनाकर डाला जाता है। इस प्रवेश द्वार से गोबर का घोल डाइजेस्टर या पाचक खंड में पहुँचाया जाता है। डाइजेस्टर जमीन के नीचे कुंएनुमा बना होता है। गोबर घोल की सड़ने की क्रिया इसी भाग में होती है। हवा न होने पर यहीं पर बायोगैस बनती है। डाइजेस्टर में घोल से सड़ने से बनी मीथेन गैस संयंत्र के गुम्बद में एकत्रित होती है। बायोगैस, गैस नलिकाओं तथा गेट वाल्व आदि की सहायता से रसोईघर में चूल्हें तक पहुँचाई जाती है।

संसमृद्ध बायोगैस को आर्द्रता मुक्त करने के लिए इसे फिल्टर में डाला जाता है और तत्पश्चात् इसे त्रि–स्तरीय गैस संपीडक के उपयोग द्वारा 200 बार के दाब पर संपीडित किया जाता है। संपीडित गैस को उच्च दाब वाले स्टील के सिलिंडर जिनका उपयोग सीएनजी के लिए किया जाता है, में भंडारित किया जाता है। इस प्रौद्योगिकी का बसों, ट्रेक्टरों, कारों, ऑटोरिक्शा, सिंचाई पंप सेटों और ग्रामीण उद्योगों में उपयोग किया जा सकता है। इससे ग्रामीण जनता की ऊर्जा संबंधी मांग को पूरा करने में सहायता मिलेगी और इस प्रकार से पेट्रोलियम की मांग के बोझ को कम किया जा सकेगा। इससे ग्रामीण क्षेत्र में रोजगार की संभावनाएं भी बढ़ेगी।

अतः केवल एक बायोगैस बॉटलिंग संयंत्र से, संसमृद्ध बायोगैस वाले सिलिंडर देश में 9 लाख रूपये प्रतिवर्ष ईंधन के स्थान पर उपयोग किए जा सकेंगे। तत्पश्चात् बॉटलिंग संयंत्रों की संख्या बढ़ाने से डीजल/पेट्रोल की बचत में बढ़ोतरी होगी। संयंत्र लगाने वाले वर्ष से 2–3 वर्षों के भीतर इसकी पूरी लागत वसूल की जा सकती है।

एक 120 मीटर घन बायोगैस बॉटलिंग संयंत्र

(6 किलोग्राम = 8 सिलिंडर/दिन/सिलिंडर) से भरे सिलिंडर

चूंकि 6 किलोग्राम सीएनजी सिलिंडर में होता है

= 6 लीटर पेट्रोल।

इसलिए इन सिलिंडरों में भरी गई गैस होगी

= 6 x 8 = 48 लीटर पेट्रोल/दिन

अथवा डीजल/पेट्रोल की बचत = 17520 लीटर/वर्ष

= 87,6000 रु/वर्ष (लगभग)

= 9 लाख रु/वर्ष (एक बॉटलिंग संयंत्र से)

बायोगैस संयंत्र संबंधी जानकारी चित्र – 33 में दर्शायी गई है।

बायोगैस स्क्रबर

बायोगैस उच्च दाब सिलिंडर और संपीडक

बायोगैस पर चलने वाली कार

बायोगैस संयंत्र

चित्र – **33.** बायोगैस संयंत्र संबंधी जानकारी

गोबर की उपलब्धता और गैस की आवश्यकता के आधार पर उचित क्षमता के संयंत्र का चयन निम्नलिखित सारणी – 10 से किया जा सकता है।

सारणी – 10. गोबर गैस संयंत्र की क्षमता से संबंधित विवरण

संयंत्र की क्षमता (प्रतिदिन उत्पादन घन मीटर में)	प्रतिदिन आवश्यक गोबर की मात्रा (कि.ग्रा.)	गोबर के लिए आवश्यक पशुओं की संख्या	कितने लोगों के लिए होगा भोजन
1	25	2–3	3–4
2	50	4–5	5–8
3	75	6–7	8–12
4	100	8–9	12–16

बायोगैस की उपयोगिता

बायोगैस ग्रामीण विकास में मील का पत्थर सिद्ध हो चुकी है। प्रमुखतः इसकी उपयोगिता निम्नांकित क्षेत्रों में है।

1. भोजन पकाने में : ग्रामीण क्षेत्रों में रहनेवाले परिवार बायोगैस का अधिकाधिक उपयोग भोजन बनाने (चित्र–34) में करते हैं। यह एक स्वच्छ घरेलू ईंधन है। बायोगैस चूल्हे में बायोगैस की ऊर्जा का सर्वाधिक रूपांतरण ऊष्मा निर्माण में होता है। बायोगैस चूल्हे से 60 प्रतिशत ऊष्मा प्राप्त होती है।

चित्र–34. भोजन पकाने में बायोगैस

इसका तात्पर्य यह है कि एक घनमीटर बायोगैस से चूल्हे पर गरम होने वाले बर्तन एवं पदार्थ को 2800 किलो कैलोरी ऊष्मा प्राप्त होती है (एक घनमीटर बायोगैस की कुल ऊष्मा क्षमता 4700 किलो कैलोरी होती है)। भोजन पकाने के लिए प्रतिव्यक्ति प्रतिदिन लगभग 0.24 घनमीटर (240 लीटर) बायोगैस की आवश्यकता होती है। एक घन मीटर बायोगैस से तात्पर्य है 1000 लीटर बायोगैस। इस प्रकार एक दो घनमीटर के पारिवारिक बायोगैस संयंत्र से 5 से 8 सदस्यों वाले परिवार का भोजन आसानी से पकाया जा सकता है।

2. घरेलू ईंधन–प्रकाश व्यवस्था में : देश के जिन ग्रामीण क्षेत्रों में आज तक बिजली नहीं पहुँची है, वहाँ पर बायोगैस का उपयोग प्रकाश के लिए किया जा सकता है। बायोगैस को सीधे ही मेन्थल (बायोगैस) लैम्प में जलाकर रोशनी प्राप्त की जा सकती है।

यह लैम्प केरोसीन से चलने वाले लैम्प के समान ही रोशनी देता है। इसमें 0.13 घनमीटर गैस प्रति घंटा खर्च होती है जिससे 100 केंडल शक्ति या 40 वाट के बराबर रोशनी प्राप्त होती है। 2 घनमीटर क्षमता के एक बायोगैस संयंत्र से खाना पकाने के अतिरिक्त 2 से 3 घंटे रोशनी भी प्राप्त की जा सकती है।

3. डीजल एवं पेट्रोल ईंजिन चलाने में : ग्रामीण घरों में गोबर की उपलब्धता के आधार पर बड़ा बायोगैस संयंत्र (कम से कम 6 घनमीटर) लगाकर उत्पन्न गैस के उपयोग से डीजल व पेट्रोल इंजिन चलाकर कई प्रकार के कृषि कार्य किए जा सकते हैं। जैसे – कुएं से पानी खींचना, चारा काटना एवं थ्रेशर चलाना आदि। बायोगैस से डीजल व पेट्रोल इंजिन चलाने पर 70 से 80 प्रतिशत डीजल की एवं शत प्रतिशत पेट्रोल की बचत होती है। डीजल तथा पेट्रोल इंजन चलाने के लिए 0.5 घनमीटर बायोगैस प्रति अश्व शक्ति प्रति घंटा की आवश्यकता होती है।

4. विद्युत् उत्पादन में: बायोगैस से जनित्र (जनरेटर) चलाकर बिजली निर्मित की जा सकती है। बिजली निर्माण के लिए सर्वप्रथम बायोगैस की ऊर्जा को बायोगैस कम डीजल इंजिन से यांत्रिक शक्ति में बदला जाता है, इसके पश्चात् उससे जनित्र चलाकर बिजली

उत्पन्न की जाती है। इस पूरी प्रक्रिया में बायोगैस (ऊष्मा क्षमता 4700 किलो कैलोरी) की रूपांतर क्षमता 25.5 प्रतिशत होती है।

एक घनमीटर बायोगैस से 1.25 किलोवाट बिजली उत्पादित की जा सकती है। बिजली उत्पादन हेतु बड़ा बायोगैस संयंत्र ही लगाना चाहिए। आजकल बाजार में 3.5 से 7.5 किलोवाट के जनरेटर सैट उपलब्ध है।

5. खाद निर्माण में: बायोगैस संयंत्र में गोबर की खाद (बायोखाद) बनने में मात्र डेढ़ महीने का ही समय लगता है, जो कि अन्य विधियों से खाद बनाये जाने की तुलना में बहुत कम होता है। बायोगैस संयंत्र में डाली गई स्लरी (यानी गोबर और पानी का घोल) का लगभग 20–25 प्रतिशत भाग बायोगैस में परिवर्तित हो जाता है। तथा शेष 75–80 प्रतिशत भाग तरल किण्वित स्लरी (बायोखाद) के रूप में बायोगैस संयंत्र के निकास द्वारा स्वतः ही बाहर निकलता है। अतः समुचित उपयोग के लिए गोबर को बायोगैस संयंत्र में काम लेना चाहिए। क्योंकि इसमें बायोगैस के अलावा गोबर की खाद बनाने की तुलना में 20–35 प्रतिशत तक अधिक कार्बनिक खाद प्राप्त होती है (सारणी – 11) इसे चित्र – 35 में दर्शाया गया है।

चित्र – 35. बायोगैस से जैविक खाद

सारणी – 11. गोबर को विभिन्न तरीकों से सड़ाकर बनायी जानेवाली खाद की तुलना

खाद का प्रकार	खाद बनाने में लगने वाला समय (दिन)	खाद में संरक्षित पोषक तत्त्वों की मात्रा (प्रतिशत)	उपलब्ध खाद की मात्रा (प्रतिशत)
खुले वातावरण में सड़ाकर	120–150	50–55	35–40
बंद वातावरण में सड़ाकर	75–90	75–80	55–60
बायोगैस संयंत्र में सड़ाकर	40–55	90–93	75–80

सारणी–11 से विदित होता है कि गोबर का उपयोग बायोगैस संयंत्र में किया जाये तो हमें बायोगैस के साथ–साथ अल्प समय में उत्तम एवं पौष्टिक कार्बनिक खाद भी प्राप्त होती है। गोबर का उपयोग बायोगैस संयंत्र में करने से खाद बनने में समय तो कम लगता ही है साथ ही खाद भी अधिक मात्राा में प्राप्त होती है। बायोखाद में अन्य विधियों से बनायी गई गोबर की खाद की तुलना में इस खाद में पोषक तत्व अधिक मात्रा में संरक्षित रहते हैं (सारणी–12)।

सारणी – 12. बायोखाद एवं देशी खाद में पाये जाने वाले पोषक तत्वों की तुलना

पोषक तत्व	बायोखाद		देशी खाद
	ताजा स्लरी में	सूखी स्लरी में	
नाइट्रोजन	1.5 – 2.0	1.30 – 1.70	0.5 – 1.0
फॉस्फोरस	0.8 – 1.0	0.65 – 0.85	0.3 – 0.5
पोटैशियम	0.8 – 1.0	0.65 – 0.85	0.3 – 0.5

बायोखाद में पौधों के लिए आवश्यक तीन प्रमुख पोषक तत्व यथा – नाइट्रोजन, फॉस्फोरस तथा पोटाश देशी खाद की तुलना में अधिक होते हैं (सारणी– 12)। इसमें फसलों के लिए आवश्यक सूक्ष्म पोषक तत्व भी समुचित मात्रा में पाए जाते हैं।

बायोखाद का खेतों में उपयोग करने से रोड़ी की तुलना में 10 से 50 प्रतिशत तक फसल उत्पादन में वृद्धि होती है। इसी प्रकार सब्जियों में बायोखाद के उपयोग से न केवल उत्पादन वृद्धि होती है वरन् इनके उपयोग से सब्जियों एवं फलों के आकार स्वस्थ रूप में

बड़े प्राप्त होते हैं। इस खाद के उपयोग से फसल के साथ खरपतवार की समस्या भी नहीं होती है।

6. मछली उत्पादन बढ़ाने में – बायोगैस का उत्पाद स्लरी (बायोखाद) है, जिसमें विभिन्न प्रकार के पोषक तत्व पर्याप्त मात्रा में पाए जाते हैं। बायोगैस स्लरी को तालाब में डालने से पानी में घुलनशील ऑक्सीजन की मात्रा बढ़ जाती है जिससे मछलियों के वजन में बढ़ोतरी होने के साथ–साथ मछलियों में होने वाली साधारण बीमारियाँ नियंत्रित होती है। बायोगैस स्लरी में हानिकारक जीवाणु तथा रोग उत्पन्न करने वाले जीवाणु नहीं पाये जाते हैं, जिससे मछलियों में होने वाली बीमारियों का प्रतिशत 60 से 70 प्रतिशत से घटकर 5 प्रतिशत रह जाता है।

7. मशरूम उत्पादन बढ़ाने में – ग्रामीण क्षेत्रों में मशरूम की खेती दिनों–दिन प्रचलित होती जा रही है। मशरूम उत्पादन में बायोगैस स्लरी का उपयोग भी किया जा सकता है। बायोगैस स्लरी के उपयोग से मशरूम की गुणवत्ता बढ़ती है साथ ही उत्पादन में 17 से 26 प्रतिशत की वृद्धि होती है। मशरूम उत्पादन के लिए बायोगैस स्लरी का उपयोग गेहूँ के भूसे या चावल के भूसे के साथ किया जा सकता है। उत्पादन के पश्चात् बचे हुए भूसे में प्रोटीन की अधिकता होती है। इसका उपयोग बायोगैस संयंत्र में पुनः किया जा सकता है, जिससे बायोगैस उत्पादन में भी वृद्धि होती है।

8. दूषित पर्यावरण की रोकथाम – बायोगैस संयंत्र पर्यावरण प्रदूषण की रोकथाम करता है। ग्रामीण क्षेत्रों में पशु एवं मानव द्वारा त्याग किये गए मल–मूत्र तथा यत्र–तत्र बिखरे कूड़े–कचरे से पर्यावरण दूषित होता रहता है। मल–मूत्र पर अनेक प्रकार के मच्छर तथा मक्खियाँ उत्पन्न हो जाते हैं जो अनेक प्रकार के रोग फैलाते हैं। इन सभी अपशिष्टों का उपयोग बायोगैस संयंत्र में करके पर्यावरण को दूषित होने से बचाया जा सकता है अर्थात् हमारा पर्यावरण स्वच्छ बना रहता है। जलकुंभी की बढ़ती समस्या का समाधान भी बायोगैस से हो गया है क्योंकि गोबर की तुलना में जलकुम्भी से अधिक बायोगैस उत्पादन होता है।

9. सेनीटेशन की समस्या का समाधानः ग्रामीण क्षेत्रों में शौचालय की कोई सुचारू व्यवस्था नहीं होने के कारण मानव मल

मूत्र खुले में ही बेकार बहता रहता है और गंदगी बढ़ाता रहता है। अंततोगत्वा यह रोग का महत्वपूर्ण कारक बन जाता है। आजकल मानव मल–मूत्र आधारित बायोगैस संयंत्रों का भी निर्माण किया जाता है। यदि इस मानव मल–मूत्र का उपयोग बायोगैस उत्पादन में करें तो गंदगी नहीं बढ़ने पाती और सेनीटेशन की समस्या से छुटकारा मिल जाता है। पटना में सुलभ इंटरनेशनल द्वारा लगाये गए शौचालय आधारित बायोगैस संयंत्रों से 32,000 वाट बिजली का उत्पादन किया जा रहा है।

10. **महिलाओं के लिए वरदान :** ग्रामीण क्षेत्रों में लगाये जा रहे बायोगैस संयंत्र महिलाओं के लिए वरदान साबित हो रहे हैं। क्योंकि इससे घर साफ–सुथरा और सुंदर रहता है। धुएं से होनेवाली आँखों और फेफड़ों की बीमारियों से छुटकारा मिलता है और घर में विशेषतः बरसात के मौसम में जलाने की लकड़ी या उपलों को एकत्रित करने की आवश्यकता नहीं होती है।

बायोगैस टेक्नोलॉजी से लाभ – ये निम्नांकित हैं –

(i) बायोगैस अपशिष्ट कार्बनिक पदार्थों से बनता है और इससे प्रदूषण की समस्या नहीं रहती है।

(ii) प्राकृतिक संसाधनों के संरक्षण में प्रभावी

(iii) प्रसंस्करण के दौरान उत्पन्न स्लरी को उत्तम कोटि के खाद के रूप में उपयोग किया जाता है इससे महंगे नाइट्रोजन उर्वरक को खरीदने में राहत।

(iv) बायोगैस टेक्नोलॉजी ग्रामीण रहन–सहन का स्तर को ऊँचा उठाती है तथा देश की आर्थिक एवं सामाजिक व्यवस्था को सुदृढ़ करती है।

बायोगैस विकास एवं प्रशिक्षण केन्द्र

1. प्रौद्योगिकी एवं कृषि अभियांत्रिकी महाविद्यालय,
   महाराणा प्रताप कृषि एवं प्रौद्योगिकी विश्वविद्यालय,
   उदयपुर – 313001

2. जैव ऊर्जा विभाग
   कृषि अभियांत्रिकी महाविद्यालय एवं अनुसंधान संस्थान
   तमिलनाडु कृषि विश्वविद्यालय, कोयम्बटूर – 641003

3. कृषि अभियांत्रिकी विभाग
हिमाचल प्रदेश कृषि विश्वविद्यालय
पालमपुर–176062
4. रसायन अभियांत्रिकी विभाग
भारतीय प्रौद्योगिकी संस्थान
खड़गपुर–721 302
5. कृषि अभियांत्रिकी विभाग
कृषि विज्ञान विश्वविद्यालय
जी.के.वी.के., बंगलौर – 560065
6. सिविल अभियांत्रिकी विभाग
पंजाब कृषि विश्वविद्यालय, लुधियाना–141004
7. ऊर्जा अध्ययन एवं अनुसंधान केन्द्र
देवी अहिल्या विश्वविद्यालय, खंडवा रोड़,
इन्दौर–452017
8. गृहविज्ञान महाविद्यालय
जी.बी.पंत कृषि एवं प्रौद्योगिकी विश्वविद्यालय,
पंतनगर–263145
9. नियोजन अनुसंधान एवं क्रिया विभाग
राज्य नियोजन संस्थान, उत्तरप्रदेश, कालंकट हाऊस,
लखनऊ – 226024

अतः निश्चय ही बायोगैस एक ऐसा अपारम्परिक ऊर्जा स्रोत है जो धुआं रहित, सस्ता एवं सुगमता से प्राप्त हो जाने वाला है। बायोगैस का इसलिए भी महत्व अधिक बढ़ जाता है कि इसके संयंत्र में अपशिष्ट पदार्थों के अपघटन में ऑक्सीजन (प्राणवायु) की आवश्यकता नहीं पड़ती है, जिससे वातावरण में ऑक्सीजन की कमी नहीं होने पाती है। इसके अधिकाधिक उपयोग से विदेशी मुद्रा की बचत एवं पर्यावरण में प्रदूषण कम होगा तथा गाँव की महिलाओं के स्वास्थ्य में सुधार होगा। इस तरह यह हर तरह से निरापद एवं ग्रामीण विकास में महती भूमिका निभानेवाला अपारम्परिक ऊर्जा स्रोत है।

5. बायोमास ऊर्जा

सभ्यता के उदय से ही मानव के लिए बायोमास, मुख्य ऊर्जा का स्रोत रहा है। भारत अपने कृषि, कृषि औद्योगिक तथा वानिकी प्रचालन के द्वारा प्रचुर मात्रा में बायोमास (जैवमात्रा) सामग्री का उत्पादन करता है। यद्यपि 19वीं सदी के उत्तरार्द्ध में तेल एवं कोयले के विस्तार के चलते इस ऊर्जा स्रोत में कमी प्रेक्षित की गई, तथापि वर्तमान में, इस ऊर्जा स्रोत से मानव ने बहुत कुछ ऊर्जा शक्ति प्राप्त की है। वस्तुतः पौधों में प्रकाश संश्लेषण के माध्यम से सम्पूर्ण विश्व के स्थलीय और जलीय पौधों में एक वर्ष के अंदर 200 बिलियन टन कार्बन स्थिर की जाती है जिसमें अंतर्निहित ऊर्जा शक्ति 3000 बिलियन गीगाजूल आँकी गई है। सूर्य की किरणें, जल और कार्बन डाइ ऑक्साइड को कार्बनिक पदार्थ के रूप में परिवर्तित कर देती हैं। यह परिवर्तित पदार्थ "बायोमास" कहलाता है (चित्र –36)।

चित्र–36. बायोमास

भारत में बायोमास हमेशा से ही महत्वपूर्ण ऊर्जा स्रोत है। भारतीय परिदृश्य ऊर्जा के पारंपरिक रूपों में बढ़ती निर्भरता का संकेत देता है। देश में कुल उपयोग की जानेवाली प्राथमिक ऊर्जा का 32% अभी भी बायोमास से प्राप्त होता है और देश की जनसंख्या का 70 प्रतिशत अपनी ऊर्जा आवश्यकताओं की पूर्ति के लिए इसी पर निर्भर है।

कुछ अनुमानों के अनुसार 500 मिलियन टन से भी अधिक कृषि एवं कृषि औद्योगिक अपशिष्ट का उत्पादन प्रतिवर्ष होता है। यह मात्रा ताप अंश के परिप्रेक्ष्य में लगभग 175 मिलियन टन तेल के समान है। इस सामग्री का कुछ हिस्सा ग्रामीण अर्थव्यवस्था में पशु चारे एवं ईंधन के रूप में भी प्रयोग में लाया जाता है। इस विषयक किए गए अध्ययन से विदित होता है कि कम से कम 120 से 200 मिलियन टन की बायोमास सामग्री का कुछ अधिक उत्पादनशील भाग उपयोग नहीं हो पाता है तथा किफायती लागत पर इन्हें वैकल्पिक उपयोग के लिए उपलब्ध कराया जा सकता है। इस सामग्री में विभिन्न प्रकार की भूसी तथा पुआल शामिल है। कुछ ऐसे पौधे भी हैं जिनमें अधिक ऊर्जा देने की क्षमता हैं, उनमें गन्ना, ज्वार, थोर, कसावा, सोयाबीन, सूरज मुखी, नेपियर घास तथा जलकुंभी है। इनसे प्राप्त बायोमास की मात्रा 15,000 से 25,000 मेगावाट की विद्युतीय शक्ति उत्पन्न करने के लिए उपयुक्त है।

इसके अतिरिक्त बंजर भूमि, सड़क, तथा रेलगाड़ी की पटरी के किनारे लगने वाले पौधों से प्राप्त बायोमास से भी बिजली उत्पन्न की जा सकती है। इस तरीके से बायोमास से पैदा होनेवाली बिजली की मात्रा एक अनुमान के अनुसार 70 हजार मेगावाट से भी अधिक हो सकती है। अर्थात् बायोमास से कुल विद्युत् उत्पादन क्षमता एक लाख मेगावाट तक प्राप्त की जा सकती है। बायोमास को भाप पैदा करने के लिए बॉयलर में जलाया जाता है जो बिजली उत्पादन के लिए टर्बो आल्टर्नेटर को चलाता है।

देश में बायोमास से बिजली उत्पादन से जुड़ी प्रौद्योगिकी पूर्ण रूप से स्थापित है। इन परियोजनाओं में उपयोग किए जाने वाले उपकरणों में मुख्य रूप से शामिल हैं – बॉयलर, टरबाइन तथा ग्रिड इंटर फेज़िग प्रणालियाँ। हाल ही में हवा द्वारा ठंडे किए जाने वाले संग्राही का भी उपयोग किया गया है जिससे पानी की खपत में कमी आती है। ये सभी उपकरण भारत में आसानी से उपलब्ध हैं।

राष्ट्रीय बायोमास ऊर्जा कार्यक्रम

बायोमास ऊर्जा पर राष्ट्रीय कार्यक्रम का उद्देश्य विविध प्रकार की बायोमास सामग्री का अधिकतम उपयोग करना है। इनमें वन और

कृषि उद्योग आधारित अवशिष्ट, ऊर्जा समर्पित वृक्षारोपण के अलावा दक्ष और आधुनिक तकनीकी परिवर्तन के माध्यम से वन और कृषि अवशिष्टों से ऊर्जा उत्पादन शामिल है। इन तकनीकों में दहन या भट्‌टी में डालना, गैसीकरण आदि सम्मिलित हैं। इनके लिए बने संयंत्रों में गैस भाप टरबाइन, दोहरा ईंधन इंजन/गैस इंजन या इनका मिश्रण, जिनका उपयोग मात्र बिजली उत्पादन या ऊर्जा के एक से अधिक प्रकारों के सह–उत्पादन के लिए कैप्टिव उपयोग या ग्रिड बेचने के लिए किया जाता है। मार्च 2005 में 54 परियोजनाओं के द्वारा 302 मेगावाट शक्ति उत्पादन को कमीशन किया गया है। इसके अतिरिक्त 29 परियोजनाओं के द्वारा 270 मेगावाट की अतिरिक्त क्षमता लागू करने की योजना भी है। इन परियोजनाओं में उपयोग में लाई जानेवाली बायोमास सामग्री में शामिल है – धान की भूसी, कपास की डंडी, सरसों की डंडी, विलायती बबूल, मुर्गियों की बीट, खोई, गन्ने की पिराई इत्यादि।

चित्र–37. आंध्रप्रदेश में बायोमास ऊर्जा परियोजना

वर्ष 2007–08 के दौरान देश में बायोमास ऊर्जा प्रौद्योगिकियों तथा चीनी मिलों से प्राप्त गन्ने की खोई से 266 मेगावाट अतिरिक्त क्षमता का सृजन किया गया। इस समय दोनों तकनीकों से 1500 मेगावाट से अधिक विद्युत् उत्पादन किया जा रहा है। गन्ने की खोई वाली विधि से 100 चीनी मिलें 950 मेगावाट अतिरिक्त विद्युत्

उत्पादन कर ग्रिड को उपलब्ध करा रही हैं। इन परियोजनाओं के लिए प्रौद्योगिकियां तथा उपकरण देश में ही बनाए जा रहे हैं। 610 मेगावाट क्षमतावाली 90 बायोमास परियोजनाएं हमारे देश में इस कारण से लोकप्रिय हो रही हैं। क्योंकि ये रोजगारोन्मुख हैं। हमारे देश में बायोमास से विद्युत् उत्पादन की अनुमानित क्षमता 19,500 मेगावाट है। इसमें देश की वर्तमान चीनी मिलों से गन्ने की खोई पर आधारित 3,500 मेगावाट उत्पादन की अतिरिक्त क्षमता शामिल हैं। हमारे देश में अब तक 912 मेगावाट की बायोमास आधारित परियोजनाओं की स्थापना का कार्य पूरा किया जा चुका है। 1180 मेगावाट क्षमता की बायोमास परियोजनाओं की स्थापना का काम जारी है। बायोमास ऊर्जा संयंत्र विषयक जानकारी चित्र –37 एवं 38 में दी गई है।

चित्र–38. बायोमास संयत्र

देश का अपारम्परिक ऊर्जा स्रोत मंत्रालय उद्योगों में बायोमास तथा गन्ने की खोई से प्राप्त ऊर्जा परियोजना लागू कर रहा है। विभिन्न उद्योगों, जैसे – पेपर मिल, चावल मिल तथा फेरस मिल आदि में ऊष्मा तथा ऊर्जा की जरूरत को पूरा करने के लिए 95 मेगावाट क्षमता की 19 परियोजनाएं आरंभ की गई है। इसके अतिरिक्त 40 मेगावाट क्षमता की 20 परियोजनाएं लगाने का कार्य भी आगामी वर्ष में पूरा करने का लक्ष्य निर्धारित किया गया है। इसी

प्रकार उद्योगों में ऊष्मा तथा ऊर्जा की आवश्यकता को पूरा करने के लिए बायोमास गैसीफायर प्रणाली लागू की जा रही है तथा 31 मार्च 2008 तक 17 मेगावाट क्षमता की 100 बायोमास गैसीफायर प्रणालियाँ लगाई जा चुकी हैं। 12 मेगावाट क्षमता की ऐसी 30 प्रणालियाँ आगामी वर्ष में लगाए जाने की संभावना है।

बायोमास गैसीकरण : बायोमास गैसीकरण ठोस बायोमास का ज्वलनशील गैस मिश्रण (उत्पादक गैस) में तापीय रासायनिक रूपांतर है जो ज्वलन मार्ग के एक हिस्से के द्वारा प्राप्त होता है। तथा जिसमें हवा की आपूर्ति पूर्ण ज्वलन के अनुरूप बहुत कम होती है। उत्पादक गैस के विशिष्ट सम्मिश्रण निम्नलिखित हैं।

कार्बन मोनो ऑक्साइड	–	18 से 20 प्रतिशत
हाइड्रोजन	–	15 से 20 प्रतिशत
मीथेन	–	1 से 5 प्रतिशत
कार्बन डाइ ऑक्साइड	–	9 से 12 प्रतिशत
नाइट्रोजन	–	45 से 55 प्रतिशत
कैलोरी मान	–	1000 से 1200 किलो कैलोरी/मी.^{3}

वस्तुतः गैसीफायर एक रासायनिक रिएक्टर होता है जिसमें नियंत्रित स्थिति में ताप अपघटन (पायरोलीसिस) दहन और बायोमास न्यूनीकरण जैसी ताप रासायनिक प्रक्रियाएँ चलती हैं। जिन स्थानों पर बायोमास उचित कीमत पर आसनी से सुलभ होता है (चावल मिल, कॉफी/मकई प्रसंस्करण इकाइयाँ, चीनी मिल आदि), गैसीफायर प्रणालियों के आर्थिक लाभ होते हैं। मंत्रालय द्वारा दिए जा रहे प्रोत्साहनों को दृष्टिगत रखते हुए ये प्रणालियाँ अत्यन्त लाभदायक हैं।

बायोमास के गैसीकरण की आवश्यकता

बायोमास गैसीकरण निम्नांकित कार्यों में उपादेय है।

– उत्पादक गैस का उपयोग उपयुक्त डिजाइन वाले/अपनाए गए अंतःदहन आई सी इंजन में ईंधन के रूप में डीजल की जगह किया जा सकता है तथा जनित्र

(जनरेटर) में भी इसका उपयोग बिजली उत्पादन के लिए किया जा सकता है।

– उत्पादक गैस उद्योगों में किए जानेवाले कई तापन अनुप्रयोगों में ऊर्जा के पारम्परिक रूप जैसे तेल का स्थान ले सकती है।

– बायोमास की गैसीकरण प्रक्रिया बहुत अच्छी होती है तथा यह पर्यावरण स्नेही है।

– वर्तमान डीजल जनरेटर सैट में थोड़ी सी उत्पादक गैस की भागीदारी से अधिक मात्रा में धन की बचत की जा सकती है।

सामान्यतया उपलब्ध गैस उत्पादक में लकड़ी/लकड़ी आधारित बायोमास का उपयोग करते हैं; कुछ धान की भूसी का भी उपयोग कर रहे हैं। कई अन्य गैर काष्ठीय बायोमास सामग्री का भी गैसीकरण किया जा सकता है। यद्यपि इनके लिए गैस उत्पादक को विशेष रूप से इन सामग्रियों के अनुसार डिजाइन किए जाने की आवश्यकता पड़ती है। बायोमास गैसीकरण को चित्र–39 में तथा बायोमास गैसीफायर को चित्र–40 में दर्शाया गया है।

चित्र–39. बायोमास गैसीकरण

चित्र–40. बायोमास गैसीफायर

स्वच्छ उत्पादक गैस का उपयोग विद्युत् शक्ति के उत्पादन के लिए किया जा सकता है। इसके लिए द्वि–ईंधनीय आईसी इंजन (जहाँ डीजल तेल को 60% से 80% बदल दिया गया हो) का उपयोग किया जा सकता है। उत्पादक गैस का उपयोग तापन अनुप्रयोगों में भी किया जा सकता है तथा इसके द्वारा कई अनुप्रयोगों में ऊर्जा के पारम्परिक रूपों को बदला जा सकता है। तापन अनुप्रयोगों में छोटे बॉयलर, भट्टियाँ, गरम हवा के जनरेटर, शुष्कक आदि को सम्मिलित किया गया है।

कुछ चयनित पौधों में शुष्क बायोमास उत्पाद एवं समतुल्य ऊर्जा को सारणी – 13 में वर्णित किया गया है।

सारणी – 13. कुछ चयनित पौधों में शुष्क बायोमास उत्पाद एवं समतुल्य ऊर्जा

पादप	शुष्क बायोमास उत्पाद टन/हेक्टेयर/वर्ष	समतुल्य ऊर्जा गीगाजूल/हेक्टेयर/वर्ष
मीठी ज्वार	20	335
विदेशी ज्वारचारा	68.7	1250
जलकुम्भी	154	2680
गन्ना	112	2000
झाड़ीनुमा पादप 2 वर्ष पुराने	8.3	144

शैवाल	88	1450
यूकेलिप्टस स्पीशीज	39.1	680
कंजुअराइना	200	4950
सुबबूल	100	4600

बायोमास ऊर्जा से लाभः इस ऊर्जा के निम्नांकित लाभ हैं –

(i) यह परियोजना बिजली के भार के अनुरूप डिजाइन की जा सकती है, क्योंकि बायोमास का भंडारण किया जा सकता है तथा मांग के अनुसार उसे उपयोग किया जा सकता है।

(ii) इस परियोजना में उपयोग किए जाने वाले उपकरण कोयला आधारित तापीय शक्ति परियोजनाओं के समान होते हैं। इस कारण किसी नई प्रौद्योगिकी के विकास की आवश्यकता नहीं होती हैं।

(iii) ये परियोजनाएं ग्रामीण क्षेत्रों के पास में लगाई जाती हैं, इसलिए इनसे वहाँ पर भी विद्युत् आपूर्ति की गुणवत्ता में सुधार होने की संभावना होती हैं।

(iv) एक ही संयंत्र में विभिन्न प्रकार की बायोमास सामग्री उपयोग में लाई जा सकती है जिससे परिचालन में लचीलापन आता है।

भारतीय परिप्रेक्ष्य में बायोमास ऊर्जा की क्षमता तथा योगदान से अपारम्परिक ऊर्जा स्रोत मंत्रालय अच्छी तरह से अवगत है। इस कारण अर्थ व्यवस्था के विभिन्न क्षेत्रों में आधुनिक प्रौद्योगिकी को बढ़ावा देने के लिए कई कार्यक्रम आरंभ किए हैं। जिससे अधिकतम लाभ सुनिश्चित किए जा सकें। वस्तुतः बायोमास ऊर्जा उत्पादन भारत में एक ऐसा उद्योग है जो प्रतिवर्ष 600 करोड़ रुपये का निवेश अपनी ओर आकर्षित करता है तथा जिससे 5000 मिलियन यूनिट से भी अधिक बिजली का उत्पादन होता है। भारत सरकार का अपारम्परिक ऊर्जा स्रोत मंत्रालय (एम.एन.ई.एस.) बायोमास के उत्पादनकारी उपयोग के लिए तीन मुख्य प्रौद्योगिकियों, यथा – चीनी मिलों में खोई आधारित सह–उत्पादन, बायोमास शक्ति उत्पादन तथा तापीय एवं विद्युतीय अनुप्रयोगों के लिए बायोमास गैसीकरण को बहुत बढ़ावा दे रहा है।

शैवाल – जैविक ऊर्जा का स्रोत

शैवाल जैव ऊर्जा व ईंधन के एक वैकल्पिक रूप में अपनी भूमिका निभा रहा है। शैवालीय जैव ऊर्जा उच्च पादप के जैविक ऊर्जा के अनुपात में कई गुणा अधिक, सस्ती तथा फायदेमंद है।

शैवालों की संरचना अपेक्षाकृत अति सरल होने के कारण उन्हें एक कोशिका वाला पादप माना जा सकता है। यही कारण है कि शैवाल कोशिका को एक जैव रसायन (Bio-chemical) इकाई कहा जा सकता है। इन इकाईयों में 'रुबिसको' एन्जाइम की सहायता से कार्बन डाइ ऑक्साइड को शर्करा में बदलने की क्षमता होती है। कुछ हरित शैवाल प्रजातियों में नाइट्रोजन की कमी में इस एन्जाइम की सक्रियता अधिक होती है। लगभग 10 लाख वर्ष पूर्व अस्तित्व में आयी डायटम प्रजातियाँ–डायटोमेसियस अर्थ (Diatomaceous earth) के रूप में आज भी हमारे ईंधन की कुछ आवश्यकताएँ पूरी कर रही है।

अनुमानतः इन शैवालों से जैव ऊर्जा का उत्पादन सर्वाधिक होता है। कुछ शैवालीय प्रजातियों की यह विशेषता होती है कि उनके जीवभार में लगभग 50% वसा की मात्रा पायी जाती है, जो कि किसी भी अन्य जैव स्रोत से अधिक होती है। नेशनल रेन्युबल एनर्जी लेबोरेट्री (NREL), कोलेराडो के वैज्ञानिकों ने ऐसे 300 शैवाल प्रजातियों की पहचान की है, जिनसे जैव ऊर्जा प्राप्त की जा सकती है। ये शैवाल खारे तथा मीठे पानी में पाये जाते हैं।

प्रायः अनुभव किया गया है कि जितनी आसानी से उच्च पादपों से जैव ऊर्जा प्राप्त की जाती है, उतनी ही आसानी से शैवालों से भी जैव ऊर्जा प्राप्त की जा सकती है। उच्च पादपों की तुलना में शैवालों की वृद्धि दर भी बहुत तेज होती है। शैवाल को साधारण से कृत्रिम तालाब से संवर्धन करके दो या तीन महीने के पश्चात् सीधे उससे अधिक मात्रा में तेल निकाल सकते हैं। इसके अलावा जैव ऊर्जा निकालने के पश्चात् उसके जैवभार से एथेनॉल भी प्राप्त कर सकते हैं।

शैवालों में अधिक वसा की मात्रा का उत्पादन के लिए उन्हें अधिक मात्रा में कार्बन डाइ ऑक्साइड की आवश्यकता होती है। इसकी आपूर्ति के लिए एक तकनीक विकसित की गयी है। इसके

अनुसार शैवालों का संवर्धन बायोरिएक्टर में किया जाता है। जिसमें थर्मल पॉवर व औद्योगिक इकाइयों से निकलने वाली कार्बन डाइ-ऑक्साइड और दूषित वायु को वातावरण में छोड़ने से पूर्व इस बायो-रिएक्टर में प्रवाहित किया जाता है (चित्र-41)।

चित्र – 41. औद्योगिक इकाई के समीप स्थित शैवाल संवर्धन वाला बायोरिएक्टर

औद्योगिक इकाई के समीप स्थित बायोरिएक्टर जिसमें शैवालों का संवर्धन होता है, इस दूषित वायु और कार्बन डाइ ऑक्साइड की कुछ मात्रा अपने संवर्धन के लिए अवशोषित कर लेते हैं और शेष कार्बन डाइ ऑक्साइड वातावरण में छोड़ दी जाती है जिससे वायु प्रदूषण में कमी होती है। अनुकूल परिस्थिति में इन सूक्ष्म शैवालों से एक वर्ष में 4 पौंड प्रति वर्ग फीट या 15,000 गैलन तेल प्रति एकड़ उत्पादन कर सकते हैं।

बायोरिएक्टर के अतिरिक्त शैवालों का उत्पादन खुले कृत्रिम तालाबों में कम खर्च में सरल विधि द्वारा भी किया जा सकता है। बायोरिएक्टर में संवर्धित शैवालीय जैवभार (बायोमास) को साफ करते

रहना पड़ता है क्योंकि वृद्धि करती कोशिकाएं लंबे बेलनाकार काँच के पाइप से चिपक जाती है जिससे प्रकाश संश्लेषण की क्षमता घट जाती है। इस कारण इन्हें अच्छी तरह पानी से धोकर उसमें से सम्पूर्ण पानी को निथारकर शैवाल जैवभार बनाते हैं। जिस प्रकार सोयाबीन, सरसों, जेट्रोफा के तेल का ट्रांसएस्ट्रीफिकेशन (Transesterification) किया जाता है, उसी प्रकार शैवालीय जैवभार से प्राप्त वसा का ट्रांसएस्ट्रीफिकेशन होता है। यही ट्रांसएस्ट्रीफाइड वसा बायोडीजल कहलाता है। इस बायोडीजल का उपयोग मोटरकार, गाड़ी चलाने में होता है। वसा निकालने के पश्चात् इस जैवभार से एथेनॉल तथा मीथेन भी निकालते हैं। इसके बाद बचे जैवभार को सुखाकर उसे जैव उर्वरक के रूप में प्रयोग करते हैं। कई पश्चिमी देशों में कुछ शैवालीय प्रजातियों, जैसे स्पाइरोगायरा (Spirogyra), क्लोरेला (Chlorella), बॉट्रीकोकस (Botrycoccus), सिनेडेसमस (Scenedesmus) द्वारा जैवा ऊर्जा एवं नील–हरित शैवाल से हाइड्रोजन उत्पादन पर अन्वेषण कार्य चल रहा है। अतः कालांतर में शैवालीय जैव ऊर्जा एक महत्वपूर्ण वैकल्पिक ऊर्जा स्रोत के रूप में विकसित होगी।

फल–फूल और सब्जियों में निहित ऊर्जा

वर्तमान काल में फल–सब्जियों और फूलों तक से ऊर्जा प्राप्त करने के सफल प्रयोग सम्पन्न हुए हैं। नींबू, संतरा, मौसमी, माल्टा, अनन्नास, केला, पपीता, आम आदि ऐसे फल हैं जिनमें अम्ल और क्षार की मात्रा होती है। परीक्षणों से विदित हुआ है कि यदि एक गेल्वेनोमीटर का संपर्क एक जस्ते और तांबे की छड़ से इनमें से किसी एक फल से कर दिया जाए तो गेल्वेनोमीटर की सुई हिलने लगती है और अगर इन्हें एक शृंखला में जोड़ दिया जाए तो कम वाट का एक बल्ब जलाना भी संभव है।

केला, करंज, सेंजना, इमली, गूलर, सेमल, (चित्र–42) आदि से भी विद्युत् प्राप्त करने में सफलता पाई गई है। पूना के वन अनुसंधान केंद्र के वैज्ञानिक डॉ० आर०एल० चौधरी के शोध परिणाम अनुसार केले के पेड़ से 1–1.2 वोल्ट करंज से 0.6 वोल्ट, गूलर से 0.8 वोल्ट, सेंजना से 0.7 वोल्ट, इमली से 0.8 वोल्ट, आम से 0.9–1 वोल्ट,

पीपल से 0.6–0.9 वोल्ट, सागौन से 0.6–1.0 वोल्ट और ढ़ाक से 0.7 – 1.0 वोल्ट बिजली प्राप्त की जा सकती है। इन सभी में केले के पेड़ से सर्वाधिक बिजली प्राप्त हुई।

अनुसंधान द्वारा विदित हुआ है कि यदि रामबांस के रस को निकाल कर उसमें नमक मिलाकर एक बीकर में भर लें तथा उसमें एक कार्बन की एक जस्ते की छड़ डालने पर दोनों सिरों के बीच लगभग एक वोल्ट विद्युत् प्राप्त की जा सकती है।

चित्र–42. फलों व सब्जियों से बिजली

5. हाइड्रोजन ऊर्जा

वस्तुतः ऊर्जा के वैकल्पिक स्रोतों में हाइड्रोजन एक अधिक ऊर्जा क्षमता वाला स्रोत है। यदि जल में विद्युतधारा प्रवाहित की जाती है तो वह ऑक्सीजन तथा हाइड्रोजन गैसों में परिणित हो जाता है। सौर–ऊर्जा द्वारा भी जल को विच्छिन्न करके हाइड्रोजन गैस प्राप्त की जा सकती है। हाइड्रोजन एक रंगहीन, गंधहीन, स्वादहीन एवं ज्वलनशील गैस है। यह पानी, जैव घटकों, बायोमास तथा हाइड्रोकार्बन, जैसे – पेट्रोल, प्राकृतिक गैस, मिथेनॉल तथा प्रोपेन में पाई जाती है।

अन्य वैकल्पिक ऊर्जा स्रोतों की अपेक्षा हाइड्रोजन में द्रव्यमान ऊर्जा घनत्व बहुत अधिक है। अर्थात् इसका दहन तापमान कम है। अतः इसका पूरा उपयोग हो सकता है। इसकी ऊर्जा क्षमता भी अधिक है। हलकी होने के कारण इसे वायुयान–ईंधन के रूप में भी वरीयता दी जाने लगी है।

हाइड्रोजन आसानी से इधर–उधर ले जाई जा सकती है और जहाँ–जहाँ प्राकृतिक गैस के लिए पाइप लगे हैं, वहाँ उन्हीं पाइपों से हाइड्रोजन को वितरित किया जा सकता है। इसके साथ ही पाँच सौ किलोमीटर से अधिक दूरी के लिए तो यह जल ऊष्मीय ऊर्जा से भी सस्ती पड़ती है तथा सुविधाजनक भी है। हाइड्रोजन ऊर्जा की आपूर्ति के लिए पाइपों को भूमि के अंदर लगाने से अधिक सुरक्षा रहती है। जब हाइड्रोजन को जलाया जाता है तो यह उपोत्पाद के रूप में पानी का उत्पादन करती है। इस कारण ये न केवल दक्षतापूर्ण ऊर्जा संवाहक है वरन् एक स्वच्छ पर्यावरण स्नेही ईंधन भी है।

हाइड्रोजन को विभिन्न अवस्थाओं पर रखा जा सकता है, जैसे साधारण दाब पर गैस, विद्युत–ऊष्मा अवरोधी पात्रों में द्रव और धात्विक हाइड्रोजन के रूप में ठोस अवस्था में रखा जा सकता है। ये हाइड्राइड जब और जहाँ आवश्यक हो सीधे हाइड्रोजन में परिवर्तित करके वितरित किए जा सकते हैं। हाइड्रोजन का उपयोग बिजली उत्पादन तथा परिवहन अनुप्रयोगों के लिए भी किया जा सकता है। सीधे या डीजल के साथ मिलाकर अथवा संपीडित प्राकृतिक गैस में भी किए जाने की संभावना है। हाइड्रोजन को ईंधन के रूप में सीधे–सीधे ईंधन सेलों में बिजली उत्पादन के लिए उपयोग में लाया जा सकता है। इसका उपयोग अंतरिक्ष यान में भी ईंधन के लिए किया जाता है।

हाइड्रोजन एक बहुत अच्छा ऊर्जा स्रोत हो सकता है क्योंकि यह पृथ्वी पर जल के रूप में अनन्त मात्रा में उपलब्ध हैं। इस जल से असीमित मात्रा में हाइड्रोजन उत्पादित की जा सकती है। यह उर्वरक उद्योग में अमोनिया बनाने के लिए भी बहुत मात्रा में उत्पादित की जा रही है। अन्य उद्योगों में भी हाइड्रोजन का उपयोग पर्याप्त मात्रा में होता है। यद्यपि अभी प्रयुक्त होने वाली कुल हाइड्रोजन का 80 प्रतिशत उत्पादन तो पेट्रोलियम और प्राकृतिक गैसों द्वारा ही हो रहा है।

हाइड्रोजन उत्पादन के तरीके

हाइड्रोजन उत्पादन के तरीके निम्नांकित है –

1. तापीय रसायन गैसीकरण, वाटर गैस शिफ्ट के द्वारा।
2. तीव्र तापीय दहन तथा कार्बोहाइड्रेट के बायोऑयल के रिफारमेशन द्वारा।
3. सोलर गैसीकरण द्वारा
4. जैविक द्रव्य से उत्पन्न पदार्थों के गैसीय परिवर्तन द्वारा
5. जैविक द्रव्य के अति–क्रांतिक रूपांतरण द्वारा
6. जैविक द्रव्य के जीवाणु रूपांतरण द्वारा

हाइड्रोजन उत्पादन के लिए जैविक, बायोमास तथा अन्य अक्षय ऊर्जा के मार्ग पर जो मुख्य अनुसंधान संस्थान कार्य कर रहे हैं वे हैं – बनारस हिंदू विश्वविद्यालय, वाराणसी, मुरूगप्पा चिटयार अनुसंधान केन्द्र (एमसीआरसी), चेन्नई, आई.आई.टी. खड़गपुर।

एमइनईएस के अनुसंधान एवं विकास (आर एंड डी) सहायता के द्वारा एमसीआरसी ने प्रदर्शित किया है कि डिस्टिलरी अपशिष्ट से छोटे स्तर पर हाइड्रोजन उत्पादन किया जा सकता है। यह हाइड्रोजन उत्पादन की एक नई विधि है।

भाभा परमाणु अनुसंधान केन्द्र, मुंबई में बड़े पैमाने पर हाइड्रोजन उत्पादन के अनुसंधान किए हैं। यहाँ स्थित संयंत्र में 20–30 प्रतिशत पोटैशियम हाइड्रॉक्साइड घोल को 100 से 200° सेंटीग्रेड पर इलेक्ट्रोलाइज किया जाता है, जिससे 21 किलोग्राम प्रतिवर्ग सेंटीमीटर के दबाव पर हाइड्रोजन उत्पन्न होती है।

हाइड्रोजन भंडारण प्रौद्योगिकियाँ

गैस के रूप में उच्च दाब वाले सिलिंडर/टैंक में हाइड्रोजन का भंडारण करना सबसे सामान्य विधि है। हाइड्रोजन सबसे हलका तत्व होने के कारण गैस के रूप में भंडारण करने के लिए उच्च दाब में प्रचुर मात्रा की आवश्यकता होती है। हाइड्रोजन का तरल रूप में भी भंडारण किया जाता है जिसके लिए कम तापमान की क्रायोजनिक भंडारण प्रणाली की आवश्यकता होती है। हाइड्रोजन को कुछ ठोस रूप के पदार्थों में भी भंडारित करने की भी संभावना है, जैसे – मैटल हाइड्राइड तथा कार्बन नैनोस्ट्रक्चर और रसायनों के अंदर। ठोस रूप

में हाइड्रोजन का भंडारण एवं परित्याग के लिए मध्यम तापमान और दबाव की आवश्यकता होती है।

हाइड्रोजन चूंकि एक हलकी गैस होती है इसलिए ऊर्जा की पर्याप्त मात्रा उत्पन्न करने के लिए हाइड्रोजन को अत्यधिक मात्रा में भंडारण करने की आवश्यकता पड़ती है। अतः हाइड्रोजन के सुरक्षित परिवहन के साथ इसका भंडारण भी बहुत महत्वपूर्ण है। किसी भी दीर्घकालिक भंडारण समाधान के लिए जरूरी है कि वह ऊर्जा दक्ष हो, सुसंहत हो, टिकाऊ हो, सुरक्षित हो तथा लागत भी कम हो। इसके लिए हाइड्रोजन के भंडारण के लिए नई विधियाँ विकसित करने की आवश्यकता है। हाइड्रोजन जनित्र को चित्र–43 में दर्शाया गया है।

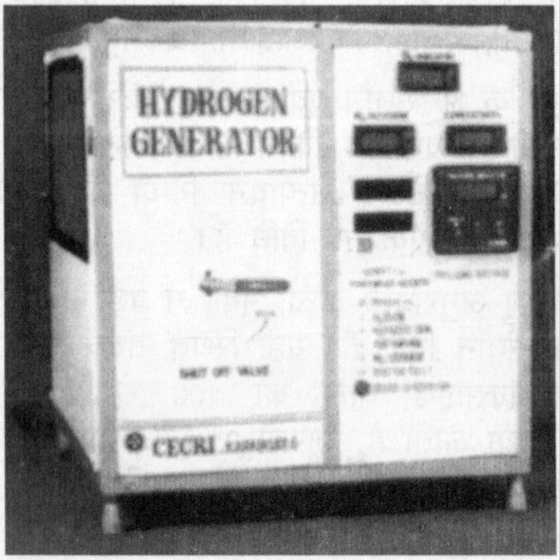

चित्र–43 हाइड्रोजन जनित्र

हाइड्रोजन चालित वाहन

व्यावसायिक रूप से उपलब्ध आईसी इंजन वाहनों को सीधे हाइड्रोजन से या सीएनजी मिश्रित हाइड्रोजन के द्वारा चला पाना संभव है। भारत में हाइड्रोजन का वर्तमान आईसी इंजनों में उपयोग को अनुकूल बनाने के लिए आर एंड डी प्रयास जारी है। छोटे वाहन तथा जनरेटर, जो आईसी इंजन द्वारा कार्य करते हैं, उनमें हाइड्रोजन द्वारा काम करने के लिए रूपांतरण किया गया है। हाइड्रोजन द्वारा

चालित मोटर साइकिलों, तिपहिया वाहनों का विकास किया गया है और उन्हें चित्र–44 तथा चित्र–45 में दिखाया गया है।

चित्र–44 हाइड्रोजन द्वारा चालित मोटर साइकिलें

बीएचयू, वाराणसी ने एक व्यावसायिक रूप से उपलब्ध मोटरसाइकिल (100 सीसी, 4 स्ट्रोक) तथा एक तिपहिया स्कूटर (175 सीसी, 4 स्ट्रोक) को हाइड्रोजन ईंधन द्वारा चलाने के लिए परिवर्तित किया है। हाइड्रोजन को मैटल हाइड्राइड पाउडर में भंडारित किया जाता है (लगभग 1.6 भार % भंडारण क्षमता)।

चित्र–45 हाइड्रोजन द्वारा चालित तिपहिया वाहन

इंजन को हाइड्रोजन पर चलाने के लिए विशेष रूप से विकसित स्वचालित वाल्व का उपयोग किया गया है। इंजन में हाइड्रोजन की कितनी मात्रा जानी है, इसका नियंत्रण इस वाल्व के द्वारा किया जाता है। इस व्यवस्था में इंजन की निकास नली को भी हाइड्राइड के टैंक में से निकाला जाता है जिससे हाइड्राइड के तापमान को 60° सेंटीग्रेड तक बढ़ाने की सुविधा प्राप्त होती है। वर्तमान में हाइड्रोजन

चालित मोटरसाइकिल लगभग 70 कि.मी. तक, बिना दुबारा ईंधन भरे चल सकती है। एक बार के ईंधन में मोटर साइकिल की 100 कि.मी. तक चलाने के लिए अनुसंधान प्रक्रिया जारी है।

हाइड्रोजन चालित जनित्र (जनरेटर) पेट्रोल द्वारा चलने वाले एक कम क्षमता के जनरेटर सैट (1.2 कि.वा.) को हाइड्रोजन द्वारा चलाने के लिए परिवर्तित किया गया है तथा इसके द्वारा मैटल हाइड्राइड में जमा हाइड्रोजन ईंधन के द्वारा विकेन्द्रीय विद्युत उत्पादन की क्षमता को चित्र–46 में दर्शाया गया है। इसमें 10 किलोवाट के एक सिलिंडर वाले, चिंगारी द्वारा प्रज्ज्वलित इंजन जनरेटर सैट (पेट्रोल) को सिलिंडर में भंडारित हाइड्रोजन गैस द्वारा चलाने के लिए परिवर्तित किया गया। इस परिवर्तित जनरेटर सैट में दाब प्रज्वलित इंजनों को हाइड्रोजन व डीजल की द्वि–ईंधनीय प्रणाली में काम करने के लिए डिजाइन किया गया है।

चित्र–46 हाइड्रोजन चालित जनरेटर

ईंधन सेल

ईंधन सेल (चित्र–47) एक विद्युत् रासायनिक उपकरण है जो ऊर्जा को विद्युत् एवं ताप में बिना दहन के परिवर्तित करता है। एक ईंधन सेल बैटरी के समान ही होता है क्योंकि इसमें इलेक्ट्रोड,

इलेक्ट्रोलाइट धनावेशित एवं ऋणावेशित टर्मिनल होते हैं। परन्तु बैटरी और इसमें यही अंतर है कि यह सेल के अंदर जमा ऊर्जा का परित्याग नहीं करता। न ही इसे दुबारा से चार्ज करने की आवश्यकता पड़ती है। यह ईंधन सेल तब तक काम करता रहता है, जब तक इसको हाइड्रोजन (ईंधन) की निरंतर आपूर्ति होती रहती है। ईंधन सेल से किसी भी तरीके का प्रदूषण नहीं फैलता है। ईंधन सेल का उपयोग स्थिर, चलायमान तथा परिवहन अनुप्रयोगों में किया जा सकता है। यह कई प्रकार के ईंधनों से कार्य कर सकते हैं जैसे प्राकृतिक गैस, मिथेनॉल या हाइड्रोजन गैस आदि।

चित्र–47. ईंधन सेल

ईंधन सेल वाहन

विगत कई वर्षों के अनुसंधान के फलस्वरूप फास्फोरिक अम्ल ईंधन सेल (पीएएफसी) प्रणालियां तथा पॉलीमर इलेक्ट्रोलाइट मैम्ब्रेन ईंधन सेल (पीईएमएफसी) प्रणाली विकसित की गई हैं। पीईएमएफसी प्रणालियां अपने निम्न परिचालन तापमान 70° सेंटीग्रेड के कारण वाहनों में उपयोग के लिए बहुत उपयुक्त हैं। वैश्विक स्तर पर अनुसंधान के प्रयास पीईएमएफसी प्रणाली को वाहनों में अनुप्रयोग के लिए विकसित करने पर केन्द्रित हैं। भारत में ईंधन सेल–बैटरी संकर

वैन विकसित की गई है। इस वैन को 10 किलोवाट क्षमता के ईंधन सेल के साथ–साथ लैड अम्ल बैटरी बैंक के द्वारा शक्ति मिलती है। यह वाहन एक बार के चार्ज में लगभग 70 कि.मी. तक चलता है। इस वैन ने 2500 कि.मी. से भी अधिक दूरी तय की है। विभिन्न प्रकार के ईंधन सेल वाहनों को चित्र–48 में दर्शाया गया है।

चित्र–48 विभिन्न प्रकार के ईंधन सेल वाहन

भारत में हाइड्रोजन ऊर्जा कार्यक्रम

हाइड्रोजन को वैकल्पिक ईंधन के रूप में उपयोग करने तथा उसके उत्पादन व भंडारण के विभिन्न पहलुओं पर अनुसंधान और विकास की परियोजनाएं चलाई जा रही हैं। "हाइड्रोजन ऊर्जा रोड़ मैप" बनाने तथा हाइड्रोजन ऊर्जा पर एक राष्ट्रीय हाइड्रोजन ऊर्जा बोर्ड का गठन किया गया है। बोर्ड ने राष्ट्रीय हाइड्रोजन ऊर्जा रोड़ मानचित्र तैयार करने के लिए एक संचालन समूह का गठन किया है। संचालन समूह द्वारा तैयार रोड़ मानचित्र को राष्ट्रीय हाइड्रोजन ऊर्जा बोर्ड़ ने जनवरी 2006 में अपनी स्वीकृति प्रदान कर दी है। इसमें हाइड्रोजन ऊर्जा प्रौद्योगिकी के विभिन्न क्षेत्रों में अनुसंधान, विकास और प्रदर्शन गतिविधियों को लेने पर विचार किया जा चुका है। इसमें देश में 2020 तक हाइड्रोजन ईंधन वाले 10 लाख वाहनों और 1000 मेगावाट क्षमता की हाइड्रोजन आधारित ऊर्जा उत्पादन की कल्पना की गई है।

6. लघु पनबिजली

पन शक्ति, बिजली के उत्पादन के लिए उपयोग में लाए जानेवाला सबसे बड़ा अक्षय ऊर्जा संसाधन है। लगभग 19वीं सदी में मनुष्य ने बहते हुए जल से बिजली उत्पन्न करना भी सीख लिया था। वर्ष 1882 में अमेरिका में विश्व की प्रथम जल विद्युत् परियोजना

की स्थापना हुई। वस्तुतः जल विद्युत् संयंत्र में बहते हुए जल की यांत्रिक ऊर्जा को विद्युत् ऊर्जा में बदला जाता है। नदी के बहते पानी से चक्की चलाने और छोटे पैमाने पर ऊर्जा पैदा करने का कार्य लंबे समय से चलता आया है। इस प्रक्रिया में नदी का तेजी से बहता पानी बांध बनाकर रोका जाता है। इससे यह पानी एक बहुत बड़े जलाशय में जमा हो जाता है। इसके बाद यह पानी पाइप या छोटे रास्ते से इस प्रकार छोड़ा जाता है, ताकि वह टरबाइन के पंखों को चलाए। ब्लेड़ों के घूमने से विद्युत् ऊर्जा उत्पन्न होती है। इस प्रकार प्राप्त बिजली को पनबिजली कहते हैं।

भारत में जल विद्युत् का उत्पादन वर्ष 1897 में दार्जिलिंग में शुरु हुआ। उन्हीं दिनों मैसूर, मसूरी, शिमला आदि में भी कई छोटे जल विद्युत् स्टेशन स्थापित किए गए। पनबिजली ऊँचाई से प्रवाहित पानी की स्थितिज एवं गतिज ऊर्जा से प्राप्त की जाती है। पानी में विद्यमान ऊर्जा को जनरेटर युग्मित टरबाइन के उपयोग द्वारा विद्युत् में परिवर्तित किया जाता है। किसी भी स्थान की जलशक्ति क्षमता पानी के विसर्जन तथा नदी के शीर्ष पर आधारित होती है। इसका अनुमान निम्नलिखित समीकरणों द्वारा लगाया जा सकता है।

P (शक्ति किलोवाट) $= Q \times H \times 9.81 \times \eta$, जहाँ पर

Q = विसर्जन (प्रवाह दर) मी.^{3} प्रति सेकंड

H = शीर्ष (ऊँचाई) मीटरों में, तथा

η = प्रणाली की शक्ति उत्पादन की पूर्ण क्षमता

लघु पनबिजली (एसएचपी) के अनिवार्य संघटक

एसएचपी परियोजनाएं नदी, नहर या बाँधों पर स्थापित की जा सकती हैं। एसएचपी परियोजना के अनिवार्य संघटक निम्नांकित हैं।

1. दिक् परिवर्तन बांध/बैराज
2. शक्ति जलमार्ग
3. वीलवणन साधन
4. फोर वे टैंक/संतुलन जलाशय
5. जलद्वार
6. उपमार्ग व्यवस्था/अधिप्लव मार्ग
7. बिजलीघर
8. उपस्कर
9. बिजली निकास की व्यवस्था

नदी के ऊपर एसएचपी स्टेशन की विशिष्ट व्यवस्था को चित्र–49 में दर्शाया गया है।

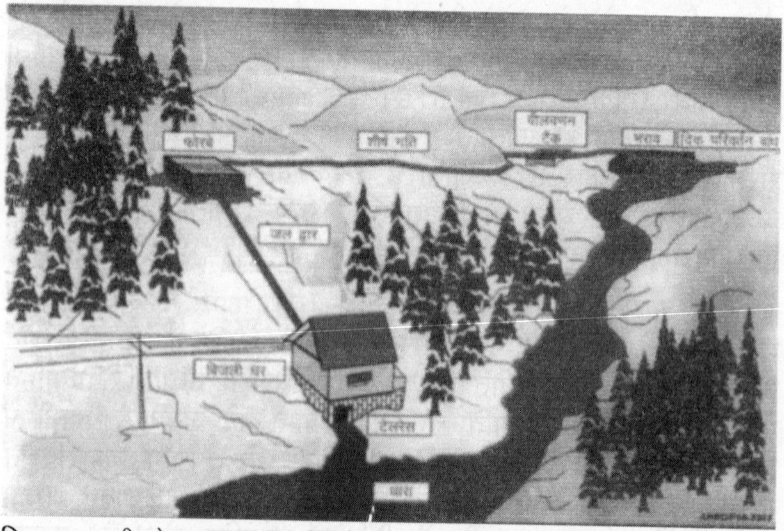

चित्र–**49** नदी के ऊपर एसएचपी स्टेशन की विशिष्ट व्यवस्था

लघु पनबिजली परियोजनाओं का वर्गीकरण

एसएचपी परियोजनाओं का शीर्ष पर आधारित वर्गीकरण निम्नलिखित हैं।

(अ) अतिनिम्न शीर्ष – 3 मीटर से नीचे

(ब) निम्न शीर्ष – 3 मीटर से ऊपर तथा 40 मीटर तक

(स) मध्य/उच्च शीर्ष – 40 मीटर से ऊपर

नहर पर स्थापित एसएचपी स्टेशन की विशिष्ट व्यवस्था को चित्र–50 में दर्शाया गया है।

क्षमता के आधार पर एसएचपी परियोजनाओं का वर्गीकरण निम्नलिखित है।

(i) सूक्ष्म हाइड्रो – 100 किलोवाट तक

(ii) छोटे हाइड्रो– 101–1000 किलोवाट तक (अर्थात् 1 मेगावाट)

(iii) लघु हाइड्रो – 1 मेगावाट से ऊपर के 25 मेगावाट तक।

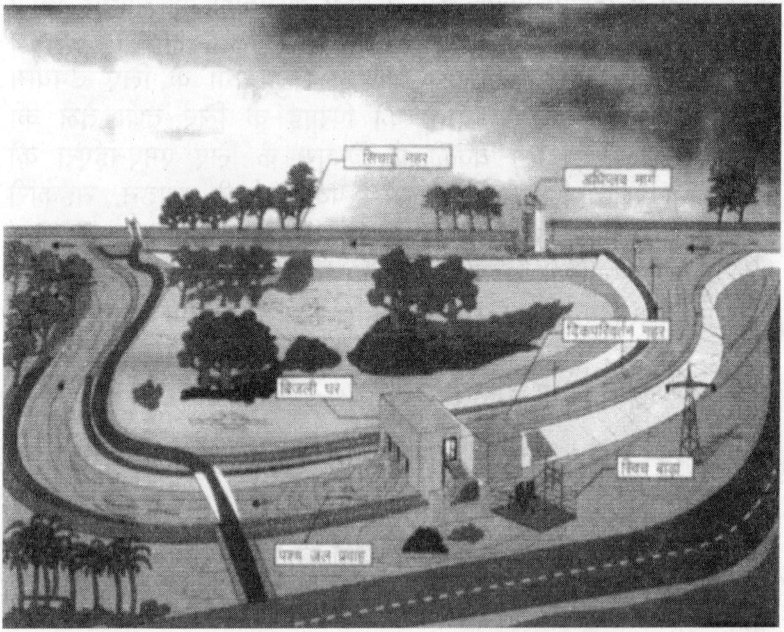

चित्र–**50** नहर पर स्थापित एसएचपी स्टेशन की विशिष्ट व्यवस्था

एसएचपी परियोजनाओं के लाभ

एसएचपी परियोजनाओं द्वारा वितरित ऊर्जा की आवश्यकताओं को पूरा करने के लिए विद्युत् प्राप्त हो सकती है। वर्तमान में ये आवश्यकताएं शक्ति के एकल स्रोत द्वारा ही पूरी की जा रही है। लघु पनबिजली परियोजनाओं के कुछ निम्नांकित लाभ हैं।

– वितरण प्रणाली में संस्थापन तथा परिचालन में लचीलापन।

– मानक स्वदेशी प्रौद्योगिकियां तथा निर्माण आधार उपलब्ध है जिसमें विशिष्ट स्थान की परिस्थितियों के अनुसार थोड़ा सा अनुकूल बनाने की आवश्यकता पड़ती है।

– पानी के अन्य उपयोगों के लिऐ जैसे – पीने के पानी तथा सिंचाई कार्यों में सुसंगत

– पर्यावरण हितैषी

पन चक्की – देश के उत्तरी भाग में पन चक्कियों को 'धराट' कहा जाता है जो पारंपरिक रूप से पानी की ऊर्जा को यांत्रिक ऊर्जा में बदलने के काम में लाई जाती है। हिमालयी क्षेत्र में लगभग 1,50,000 पन चक्कियां विभिन्न यांत्रिकी अनुप्रयोगों के लिए उपयोग की जा रही है, जैसे – दानों की पिसाई के लिए तथा तेल को निकालने के लिए। पन चक्की के विकास के लिए एमएनईएस की परियोजना स्थानीय संस्थाओं, जैसे– पवन चक्की संगठन, सहकारी सोसायटी, पंजीकृत स्वयं सेवी संस्थाएं, स्थानीय निकाय तथा राज्य की केंद्रीय एजेंसियों द्वारा परिचालित की जा रही है। स्कीम के अर्न्तगत वास्तविक लागत पर 75 प्रतिशत सब्सिडी उपलब्ध कराई जा रही है। केन्द्र/राज्य शासित प्रदेशों की संभावित स्थलों स्थलों की सूची सारणी – 14 में दी गई है।

सारणी – 14. केन्द्र/राज्य शासित प्रदेशों की संभावित एसएचपी स्थलों की सूची

राज्य/केन्द्र शासित प्रदेश	पहचान गए स्थलों की संख्या	कुल क्षमता (मेगावाट)
अंडमान एवं निकोबार द्वीप समूह	6	6.40
आन्ध्र प्रदेश	286	254.63
अरुणाचल प्रदेश	492	1059.03
असम	46	118.00
बिहार	92	194.02
छत्तीसगढ़	47	57.90
गोआ	3	2.60
गुजरात	290	156.83
हरियाणा	22	30.05
हिमाचल प्रदेश	323	1624.78
जम्मू एवं कश्मीर	201	1207.27
झारखंड	89	170.05
कर्नाटक	230	652.61
केरल	198	466.85
मध्यप्रदेश	85	336.33
महाराष्ट्र	234	599.47
मणिपुर	96	105.63
मेघालय	98	181.50

मिजोरम	88	190.32
नागालैण्ड	86	181.39
उड़ीसा	161	156.76
पंजाब	78	65.26
राजस्थान	49	27.26
सिक्किम	68	202.75
तमिलनाडू	147	338.92
त्रिपुरा	8	9.85
उत्तरप्रदेश	211	267.06
उत्तरांचल	354	1478.24
पश्चिम बंगाल	145	182.62
कुल योग	4233	10324.37

भारत में पनबिजली कार्यक्रम

देश में लघु पनबिजली क्षमताओं का लगभग 15,000 मेगावाट का आकलन किया गया है। 31 मार्च 2008 के अंत तक कुल 2180 मेगावाट की लघु जलविद्युत् परियोजनाएं स्थापित की जा चुकी है। इसके अतिरिक्त 638 मेगावाट की परियोजनाएं निर्माणाधीन है। लघु पनबिजली को चित्र – 51 में दर्शाया गया है।

चित्र **51**. लघु पनबिजली

7. अपशिष्ट से ऊर्जा प्राप्ति

देश में तेजी से हो रहे शहरीकरण, औद्योगिकरण तथा नागरिक जीवन की पद्धति में बदलाव के परिणामस्वरूप शहरी तथा औद्योगिक क्षेत्रों में विपुल मात्रा में अपशिष्ट का उत्पादन हो रहा है। प्रतिवर्ष करीब 30 मिलियन टन नगरपालिका का ठोस अपशिष्ट (एमएसडब्ल्यू) तथा लगभग 4400 मिलियन घन मी. तरल अपशिष्ट पैदा होता है।

यह आकलन 299 क्लास–I शहरों तथा 36 क्लास – II शहरों में किए गए अध्ययन, जिसका शीर्षक था 'भारत में अपशिष्ट से ऊर्जा के विकास के लिए राष्ट्रीय मुख्य योजना' के लिए बनाए गए संरचनात्मक डाटाबेस पर आधारित है। इस अध्ययन से यह निष्कर्ष निकला कि 17 शहर (अर्थात् अध्ययन किए गए का 6%) 1000 टन प्रति दिन (टीपीडी) से भी ज्यादा की मात्रा में अपशिष्ट पैदा करते हैं तथा 80 शहर (अध्ययन किए गए का 26%) 150 से 1000 टीपीडी अपशिष्ट पैदा करते हैं। बाकी के बचे 202 शहर (68%) अकेले ही 150 टीपीडी से भी कम पैदा करते हैं। इसके द्वारा एमएसडब्ल्यू पैदा होने का परास 0.25 से 0.75 कि.ग्रा. प्रतिदिन प्रति व्यक्ति था जिसकी औसत 0.45 कि.ग्रा./दिन/व्यक्ति थी। इसके अतिरिक्त उद्योगों से भी प्रचुर मात्रा में ठोस तथा तरल अपशिष्ट पैदा किए जाते हैं।

अधिकतर पैदा होने वाले अपशिष्ट भूमि तथा जल में बिना किसी उचित उपचार के प्रविष्ट हो जाते हैं जिससे बहुत ही गंभीर जल प्रदूषण उत्पन्न होता है। ये ग्रीन हाउस गैसों का भी उत्सर्जन करते हैं जैसे – मीथेन तथा कार्बन डाइऑक्साइड जिससे वायु प्रदूषण में वृद्धि होती है। ठोस तथा तरल अपशिष्टों से होने वाली समस्या में सार्थक रूप से कमी करने के लिए पर्यावरण हितैषी अपशिष्ट से ऊर्जा प्रौद्योगिकियों को अपनाया जा सकता है। ये प्रौद्योगिकियां अपशिष्ट के निपटान से पहले उसके उपचार तथा संसाधन में मदद करेंगी। इन पद्धतियों से अपशिष्ट की मात्रा में कमी आयेगी, उनसे प्रचुर मात्रा में ऊर्जा पैदा की जा सकेगी, तथा जल तथा वायु प्रदूषण में वृहत् कमी लाई जा सकेगी।

अपशिष्ट से ऊर्जा परियोजनाओं को स्थापित करने के लिए विभिन्न प्रौद्योगिकी विकल्प उपलब्ध हैं। इनमें से कुछ का वर्णन नीचे किया गया है।

वात निरपेक्षी पाचन/जैव मेथैनन

इस प्रक्रिया में अपशिष्ट के जैविक खंड को अलग किया जाता है तथा उसको एक बंद कंटेनर (बायोगैस पाचक) में डाला जाता है। पाचक में यह पृथक्कृत अपशिष्ट मीथेन उत्पन्न करने वाले जीवाणुओं की उपस्थितियों में तथा वात निरपेक्षी परिस्थितियों के अंतर्गत जैव निम्नीकरण प्रक्रिया से गुजरता है जिससे मीथेन सम्पन्न बायोगैस तथा बहिःस्राव का उत्पादन होता है। इस बायोगैस का उपयोग या तो भोजन पकाने/गरम करने के अनुप्रयोगों के लिए किया जा सकता है या फिर चल-शक्ति पैदा करने के लिए किया जा सकता है, या द्वि-ईंधनीय या गैस ईंजनों के द्वारा बिजली पैदा की जा सकती है, कम दाब वाले गैस टरबाइन चलाए जा सकते हैं, या भाप टरबाइनों में इसका प्रयोग किया जा सकता है। वात निरपेक्षी पाचन द्वारा उत्पन्न होने वाला गारा स्थिरीकरण के बाद मिट्टी के अनुकूलक के रूप में उपयोग किया जा सकती है। इसकी रचना के आधार पर इसको खाद के रूप में भी बेचा जा सकता है, जोकि मुख्यतः निवेशी अपशिष्ट की रचना के आधार पर तय होता है।

दहन/भस्मीकरण

इस प्रक्रिया में अपशिष्ट को बहुत ही उच्च तापमान में (लगभग 800° सें.) हवा (ऑक्सीजन) की बहुतायत में सीधे जलाया जाता है, जिसके फलस्वरूप ताप ऊर्जा, निष्क्रिय गैसें, तथा राख पैदा होती है। सकल ऊर्जा की पैदावार अपशिष्ट के घनत्व तथा रचना; उसमें मौजूद नमी तथा निष्क्रिय सामग्री का प्रतिशत (यह ताप हानि में वृद्धि करता है); प्रज्वलन तापमान; अंश सामग्री का आकार तथा प्रकार, इत्यादि पर निर्भर करती है। दहन के परिणामस्वरूप जैविक पदार्थ में मौजूद ताप अंश का 65% से 80% हस्तांतरण गरम हवा, भाप तथा गरम पानी में हो जाता है। इससे पैदा होने वाली भाप का उपयोग शक्ति पैदा करने के लिए भाप टरबाइन में किया जा सकता है।

ताप अपघटन एवं गैसीकरण

ताप-अपघटन जैविक पदार्थों में ऊष्मा के कारण होने वाले रासायनिक अपघटन की प्रक्रिया है। इस प्रक्रिया में जैविक पदार्थ को

हवा की अनुपस्थिति में तब तक गरम किया जाता है जब तक उसके अणु ताप से भंग होकर गैस में परिवर्तित नहीं हो जाते हैं। इस गैस में छोटे अणुओं का समावेश होता है (जिसे संयुक्त रूप से 'सिनगैस' कहते हैं)। जैविक पदार्थों के ऑक्सीजन या हवा की थोड़ी–सी मात्रा में मौजूद होने के दौरान आंशिक दहन के परिणामस्वरूप भी गैसीकरण हो सकती है। इससे जिस गैस का उत्पादन होता है उसे उत्पादक गैस कहते है। ताप अपघटन द्वारा उत्पादित हुई गैसों में मुख्य रूप से कार्बन मोनो ऑक्साइड (25%), हाइड्रोजन तथा हाइड्रो कार्बन (15%) तथा कार्बन डाइऑक्साइड तथा नाइट्रोजन (60%) शामिल हैं। अगला चरण सिनगैस या उत्पादक गैस को 'स्वच्छ' करना होता है। इसके बाद इस गैस को अंतःदहन (आईसी) इंजन जनरेटर सेट या टरबाइन में बिजली उत्पादन के लिए जलाया जाता है।

भू–भराव गैस प्राप्ति

भू–भराव में डाले गए अपशिष्ट कुछ अवधि बाद वात निरपेक्षी परिस्थितियों के अधीनस्थ हो जाते हैं। इसके परिणामस्वरूप इसके जैविक अंश का धीरे–धीरे वाष्पीकरण तथा अपघटन होना शुरु हो जाता है जिसके फलस्वरूप 'भू–भराव गैस' का उत्पादन होता है जिसके अंदर उच्च प्रतिशत में मीथेन (लगभग 50%) मौजूद होती हैं। विशेषतः भू–भराव गैसों का उत्पादन अपशिष्ट के निपटान के कुछ महीनों के अंदर ही शुरु हो जाता है तथा आमतौर पर यह 10 वर्ष तक या उससे भी ज्यादा अवधि तक जारी रहता है तथा यह इस बात पर निर्भर करता है कि अपशिष्ट की रचना तथा नमी की उपलब्धता कितनी है। क्योंकि गैस का कैलोरी मान 4500 किलो कैलोरी/मी.^{3} होता है इसीलिए इस गैस का उपयोग सीधे तापन/खाना पकाने के अनुप्रयोग आईसी इंजन या टरबाइनों के द्वारा बिजली का उत्पादन करने के लिए ऊर्जा के स्रोत के रूप में किया जा सकता है।

प्लाज्मा आर्क

प्लाज्मा आर्क प्रौद्योगिकी अपशिष्ट के निपटान, मुख्य रूप से खतरनाक एवं रेडियोधर्मी अपशिष्ट के निपटान के लिए एक बहुत ही

नई प्रौद्योगिकी है। इस प्रौद्योगिकी को अब एमएसडब्ल्यू के निपटान के लिए भी एक आकर्षक विकल्प के रूप में देखा जा रहा है। इस कारण यह पहले वर्णित किए गए दहन प्रक्रियाओं से श्रेष्ट है। प्लाज्मा आर्क प्रौद्योगिकी के मुख्य लाभ निम्नांकित हैं।

- दहन/भस्मीकरण प्रौद्योगिकी की तुलना में यह बहुत ही कम वातावरण संबंधी प्रदूषण फैलाती है।
- तकनीकी–आर्थिक दृष्टि से सामान्य प्रचालन के दौरान नाइट्रोजन तथा सल्फर के ऑक्साइड का उत्सर्जन नहीं होता है क्योंकि यह प्रणाली ऑक्सीजन रहित वातावरण में कार्य करती है।
- विषाक्त सामग्री सम्पुटित हो जाती हैं तथा इस कारण दहन/गैसीकरण की प्रक्रियाओं में बचने वाले विषाक्त भस्म के मुकाबले इसको संभालना ज्यादा सुरक्षित हैं।

अपशिष्ट से ऊर्जा परियोजनाओं से लाभ

अपशिष्ट से ऊर्जा परियोजनाओं को स्थापित करने के मुख्य लाभ नीचे सूचीबद्ध किए गए हैं।

1 अपशिष्ट की मात्रा में लगभग 60% से 90% की कमी आ जाती है, जो अपशिष्ट की रचना तथा अपनाई गई प्रौद्योगिकी पर निर्भर करता है।

2 निपटान के लिए कम अपशिष्ट होने के कारण भू–भराव की मांग में कमी आती है जिसके फलस्वरूप भूमि की बचत होती हैं, जिसकी पहले से ही शहरों में बहुत कमी है।

3 दूरी पर स्थित भू–भराव स्थलों तक अपशिष्ट को ले जाने की लागत में कमी आती है।

4 पर्यावरण संबंधी प्रदूषण में कमी आती है।

5 अपशिष्ट से ऊर्जा प्राप्त की जाती है।

6 जैव मेथैनन प्रौद्योगिकी द्वारा उत्पादित गारा (स्लरी) एक अच्छी खाद के रूप में काम आता है।

लागत

अपशिष्ट से ऊर्जा परियोजनाओं की विभिन्न प्रौद्योगिकियों के आधार पर अनुमानित लागत प्रति मेगावाट नीचे वर्णित सारणी – 15 में की गई है। तथा इसे चित्र–52 में दर्शाया गया है।

सारणी – 15. अपशिष्ट प्रौद्योगिकी एवं लागत

प्रौद्योगिकी	लागत/मेगावाट (करोड़ रु. में)
जैव मेथैनन	
औद्योगिक अपशिष्ट	6–7
शहरी अपशिष्ट	8–9
गैसीकरण/ताप अपघटन	8–9
दहन/भस्मीकरण	6–7

चित्र–52 अपशिष्ट से ऊर्जा

देश के विभिन्न राज्यों तथा केन्द्रशासित प्रदेशों में अपशिष्ट द्वारा ऊर्जा की पुनः प्राप्ति की संभावनाओं को सारणी–16 में तथा विभिन्न क्षेत्रों द्वारा औद्योगिक अपशिष्ट से ऊर्जा प्राप्ति की संभावनाओं को सारणी– 17 में दर्शाया गया है।

सारणी – 16. राज्यों के शहरी अपशिष्ट द्वारा ऊर्जा की पुनःप्राप्ति की संभावनाएं

राज्य/केन्द्र शासित प्रदेश	तरल अपशिष्ट	ठोस अपशिष्ट	कुल योग
आंध्र प्रदेश	16.0	107.0	123.0
असम	2.0	6.0	8.0
बिहार	6.0	67.0	73.0
चंडीगढ़	1.0	5.0	6.0
छत्तीसगढ़	2.0	22.0	24.0
दिल्ली	20.0	111.0	131.0
गुजरात	14.0	98.0	112.0
हरियाणा	6.0	18.0	24.0
हिमाचल प्रदेश	0.5	1.0	1.5
झारखंड	2.0	8.0	10.0
कर्नाटक	26.0	125.0	151.0
केरल	4.0	32.0	36.0
मध्य प्रदेश	10.0	68.0	78.0
महाराष्ट्र	37.0	250.0	287.0
मणिपुर	0.5	1.5	2.0
मेघालय	0.5	1.5	2.0
मिजोरम	0.5	1.0	1.5
उड़ीसा	3.0	19.0	22.0
पाण्डेचेरी	0.5	2.0	2.5
पंजाब	6.0	39.0	45.0
राजस्थान	9.0	53.0	62.0
तमिलनाडु	14.0	137.0	151.0
त्रिपुरा	0.5	1.0	1.5
उत्तर प्रदेश	22.0	154.0	176.0
उत्तरांचल	1.0	4.0	5.0
पश्चिम बंगाल	22.0	126.0	148.0
कुल योग	226.0	1457.0	1683.0

सारणी – 17. क्षेत्रों द्वारा औद्योगिक अपशिष्ट से ऊर्जा की पुनःप्राप्ति की संभावनाएं

क्षेत्र	संभावना (मेगावाट)
डेयरी	49
डिस्टिलरी	402
चीनी	290
लुग्दी एवं कागज	46
स्टार्च	103
मुर्गीपालन	52
बूचड़खाना	75
चमड़ा उद्योग	5
कुल योग	1022

कूड़े में समाई ऊर्जा

फसल कटाई के बाद खेत में पड़ा छीजन या कूड़ा अब बेकार की वस्तु न होकर ऊर्जा का एक महत्त्वपूर्ण स्रोत बनकर उभरा है। ब्रिटेन में हुए अनुसंधान बताते हैं कि इस व्यर्थ कहें जाने वाले पदार्थ में इथेनॉल की मात्रा विद्यमान रहती हैं जो ऊर्जा का महत्वपूर्ण स्रोत है। लंदन के इम्पीरियल कॉलेज ऑफ साइन्स, टेक्नोलॉजी एंड मेडीसन के प्रतिवेदन के अनुसार अगर इन व्यर्थ पदार्थों में खमीरी किरण (किण्वन) की तीर्व क्रिया कराई जाए तो ऊर्जा के इस स्रोत से इथेनॉल की बहुत मात्रा प्राप्त की जा सकती है (चित्र – 53)। ज्ञातव्य रहे कि अनाज वाली फसलों के पुआल में लगभग 45 प्रतिशत सेल्यूलॉज और 35 प्रतिशत हेमीसेल्यूलोज होता है। वहीं नींबू वर्गीय फलों के छिलकों में अधिकतम पेक्टिन पाया जाता है। चूंकि खमीर उठाने में प्रयुक्त यीस्ट हेमीसेल्यूलोज और पेक्टिन से बनी मुख्य शर्कराओं का किण्वन नहीं कर पाते हैं, अतः इसके लिए सूक्ष्मजीव की आवश्यकता होती हैं। प्रो० हार्टले और उनके सहयोगियों द्वारा ऐसे सूक्ष्मजीव की खोज की गई तथा इस सूक्ष्मजीव में जीनियागिरी द्वारा जीन डालकर बदलाव किया गया। फलतः उसमें किण्वन करने की क्षमता प्रेक्षित की गई। इस प्रक्रिया द्वारा एल्कोहल का निर्माण होता रहा। इस प्रकार किण्वन यानी खमीर उठाने की क्रिया के साथ–साथ आसवन का कार्य भी जारी रखा जा सकता है। भारत सहित अन्य

कई देशों में इस क्रिया को अपनाकर छीजन से एथेनॉल बनाने के प्रयोग किए जा रहे हैं जो पेट्रोल का विकल्प बनेगा।

चित्र–53 लंदन के इंपीरियल कॉलेज में व्यर्थ से एथेनॉल प्राप्ति का प्रक्रम

इसी प्रकार इंग्लैण्ड के आई पॉवर स्टेशन में मुर्गियों के व्यर्थ को प्रयोग करता एक संयंत्र (चित्र–54) भी स्थापित किया गया है। इससे 12.7 मेगावाट बिजली पैदा की जा रही है। जो प्रतिवर्ष कम से कम 22,000 घरों की विद्युत् आवश्यकता पूरी कर रहा है। ज्ञातव्य रहे कि यह संयंत्र लगभग डेढ़ हजार मुर्गी के व्यर्थ की खपत कर रहा है। भारत में इससे प्रेरित होकर कुछ निजी संस्थाओं में विद्युत् उत्पादन की शुरुआत की है (चित्र–55), जो लकड़ी का बुरादा, शहरी व्यर्थ, खेत खलिहान का कूड़ा–कचरा प्रयोग कर बिजली प्राप्त कर रहे हैं।

चित्र–54 मुर्गी अपशिष्ठ से ऊर्जा

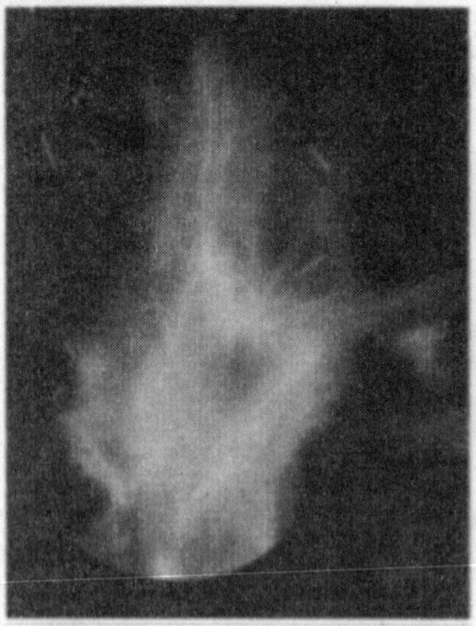

चित्र–55 भारत में लकड़ी के बुरादे व व्यर्थ पदार्थों से ऊर्जा प्राप्ति की शुरुआत

भारत में शहरी एवं औद्योगिक व्यर्थ से ऊर्जा

वर्ष 2001 की जनगणना के अनुसार 5161 नगरों में 285 मिलियन जनसंख्या निवास करती है। भारत के शहरी क्षेत्र प्रतिवर्ष लगभग पांच करोड़ टन ठोस कचरे तथा छह हजार मिलियन टन तरल कचरा निकालते हैं। इसमें 2900 मेगावाट विद्युत् उत्पादन की क्षमता है, जिसे 2017 तक 5600 मेगावाट तक पहुंचाने का लक्ष्य है। अब तक देश में 22.50 मेगावाट क्षमता की कुल आठ परियोजनाएं स्थापित की गई हैं, जो ठोस तथा तरल कचरे जैसे जानवरों के मल–मूत्र, सब्जी बाजार तथा कसाई बाड़े से निकले कचरे आदि पर आधारित हैं। ये परियोजनाएं बायोमीथेनेसन तथा आरडीएफ दहन प्रौद्योगिकियों पर आधारित हैं।

देश में औद्योगिक कचरे से 1300 मेगावाट विद्युत् उत्पादन की क्षमता है। एक आकलन के अनुसार भारत में इस समय लगभग 200 शराब के कारखाने हैं जिनमें प्रदूषित जल उपचार के संयंत्र लगे हैं। ये बड़े पैमाने पर बायोगैस उत्पन्न करते हैं, जिसमें 200 मेगावाट विद्युत् उत्पादन की क्षमता है। इसी प्रकार अन्य औद्योगिक क्षेत्रों, जैसे– खाद्य प्रसंस्करण, मुर्गीपालन चर्मशोधन, पल्प तथा पेपर, तेल मिलों तथा भेषज उद्योगों आदि में विद्युत् उत्पादन परियोजनाएं स्थापित की जा रही हैं।

देश में 35 मेगावाट क्षमता की 23 औद्योगिक 'अपशिष्ट से ऊर्जा' परियोजनाएं लगाई जा रही है। इसके साथ ही देश में 31 मार्च, 2008 तक 59 मेगावाट क्षमता वाली ऐसी 39 परियोजनाएं स्थापित की जा चुकी है, इसके अतिरिक्त 13 मेगावाट क्षमता की आठ परियोजनाएं स्थापित करने का कार्य चल रहा है।

8. ऊर्जा के विशाल स्रोत सागर

ऐसा प्रेक्षित किया गया है कि विश्व के महासागरों में ऊर्जा का अनंत भंडार है। सागर की लहरों, ज्वारभाटों, जलधाराओं एवं जलस्तरों के तापों के अंतर में भी ऊर्जा भंडारित है। उसकी बायोमास से तथा उस पर बहनेवाली पवनों से भी ऊर्जा प्राप्त की जा सकती है। सागर में सबसे अधिक मात्रा सूर्य से प्राप्त होने वाली ऊष्मा ऊर्जा के रूप में है। एक आकलन के अनुसार 10,000 टेरावाट (10^{16}) सौर–ऊर्जा पृथ्वी को प्राप्त होती है। इसका 70 प्रतिशत भाग स्वाभाविक रूप से समुद्र ग्रहण करते हैं जिसका विभिन्न रूपों में परिवर्तन होता रहता है। सागर के पानी में 3×10^{24} जूल ऊर्जा निर्धारित है। इसी प्रकार लहरों में 10^{19} जूल, ज्वारभाटाओं में 2×10^{17} जूल, सतह पर बहने वाली धाराओं नें 3×10^{8} और गहरे सागर की धाराओं में 10^{14} जूल ऊर्जा निहित है। समुद्र से ऊपर उठनेवाली विभिन्न ऊँचाई वाली लहरों में असीमित ऊर्जा निहित है। ये लहरें कुछ सेंटीमीटर से लेकर 15 मीटर तक की भी होती है। नोवास्टोकिया (कनाडा) की खाड़ी की लहरों की ऊँचाई 20 मीटर तक भी मापी गई है।

ओटेक तकनीक

सागरों का क्षेत्रफल बहुत विशाल है तथा वे पृथ्वी के हर भौगोलिक क्षेत्र में स्थित है। इस कारण उन पर पड़नेवाली सौर ऊर्जा की मात्रा भी विशाल है। सौर ऊर्जा को भंडारित करने में पानी का एक गुण विशेष रूप से महत्वपूर्ण है और वह है उसकी अत्यंत उच्च ऊष्माधारिता। सूर्य की किरणें पानी में बहुत गहराई तक प्रवेश नहीं कर पाती है। क्योंकि उनमें निहित गरमी पैदा करनेवाली अवरक्त और लाल किरणों की प्रवेश क्षमता तो अत्यंत कम है इसलिए उनका अवशोषण पानी की ऊपरी परतों में ही हो जाता है। इसके फलस्वरूप सागर की सतह का पानी बहुत गरम हो जाता है, परन्तु गहरे भागों

का पानी ठंडा ही रहता है। इससे सागर के जल में ऐसे विभिन्न स्तर बन जाते हैं जिनके तापों में बहुत अंतर होता है। यह अंतर अनेकबार 20° सें. से भी अधिक हो जाता है। इसी तापांतर का उपयोग करके बिजली बनाने की तकनीक को कहते हैं "सागर ऊष्मा ऊर्जा रूपांतरण तकनीक (Ocean thermal energy Conversion technique)। वस्तुतः यह नामक बड़ा होने के कारण ओ.टी.ई.सी. (ओटेक) ही अधिक प्रचलित है।

वस्तुतः भौतिकी की दृष्टि में ओटेक तकनीक एक ऊष्मा इंजन है और उसका भी आधारभूत सिद्धान्त वहीं है जो प्रचलित ताप बिजलीघरों का। इस तकनीक में सागर सतह के गरम पानी और लगभग एक हजार मीटर गहराई से निकाले गए ठंडे पानी के तापों के अंतर का उपयोग करके बिजली उत्पन्न की जा सकती है। इस प्रकार यह तकनीक उष्ण कटिबंधीय सागरों के लिए बहुत उपयुक्त है। क्योंकि इन सागरों की सतह के पानी का तापमान 25° सें. जैसा ऊँचा होता है और 1000 मीटर गहरे पानी का -1° सें. जैसा नीचा। परन्तु आसपास की हवा का ताप इससे कहीं अधिक नीचा होता है। इस कारण वे ओटेक तकनीक के लिए सबसे उपयुक्त स्थल बन जाते है।

यह तापांतर सूर्य द्वारा उत्पन्न किया जाता है इसलिए वह बहुत शीघ्रता से पुनः उत्पन्न हो जाता है। इसका उपयोग करके संपूर्ण विश्व के लिए बिजली बनाई जा सकती है। ऐसा अनुमान लगाया गया है कि ओटेक तकनीक से 200,000,00 मेगावॉट बिजली प्रतिदिन प्राप्त की जा सकती है।

ओटेक संयंत्र के गरम और ठंडे जलों के तापों में अंतर प्रचलित बिजलीघरों की अपेक्षा कम होता है। इसलिए उसकी दक्षता भी बहुत कम होती है। प्रचलित ताप बिजलीघरों की दक्षता लगभग 80 प्रतिशत होती है और ओटेक की दक्षता मात्र 7 प्रतिशत। परंतु सागर में गरम एवं ठंडे जल इतनी अधिक मात्रा में उपलब्ध होते हैं कि अत्यंत कम दक्षता की पूर्ति हो जाती है।

बिजली उत्पादन की दो विधियाँ

ओटेक तकनीक में दो तरीके से बिजली उत्पादित की जा

सकती है। पहले तरीके में किसी द्रव को उबालकर गैस में परिवर्तित कर लिया जाता है। यह गैस टरबाइन को चलाती है, जिससे बिजली बनती है। परंतु इसमें गैस स्वयं ठंडी हो जाती है और द्रव में बदल जाती है। इस द्रव को पुनः गरम करके गैस में परिवर्तित कर लिया जाता है और इस प्रकार द्रव का गैस में परिवर्तित होने, गैस का टरबाइन चलाने और फिर ठंडी होकर द्रव में बदल जाने का चक्र चलता ही रहता है। इस चक्र को वैज्ञानिक "बंद चक्र" कहते हैं।

दूसरे तरीके या विधि को 'खुला चक्र' कहते है। इस विधि में किसी कार्यकारी द्रव की आवश्यकता नहीं होती है। उसके स्थान पर सागर के गुनगुने पानी को ही कम दाब पर भाप में परिवर्तित कर लिया जाता है। यह भाप टरबाइन चलाती है तथा इस कार्य में वह ठंडी हो जाती है। इस ठंडे जल को पुनः गरम नहीं किया जाता है। यद्यपि खुली चक्र व्यवस्था के अनेक लाभ हैं, यथा – उससे उपजात के रूप में बड़ी मात्रा में ताजा पानी मिल जाता है। परंतु आमतौर से बंद चक्र तरीका ही अधिक लोकप्रिय है। क्योंकि इसकी बिजली उत्पादन क्षमता अधिक होती है।

भारत में ओटेक

हमारे तटवर्ती सागरों के विभिन्न जलस्तरों के तापों में अंतर, ओटेक तकनीक से बिजली उत्पादन के लिए बहुत उपयुक्त है। अरबसागर और बंगाल की खाड़ी में आमतौर से सतह के पानी के ताप और लगभग एक हजार मीटर गहरे पानी के ताप में 20° सें. से भी अधिक अंतर है। हमारे अनुसंधान पोत 'गवेषणी' द्वारा किए गए इन सर्वेक्षणों में पाया गया है कि बंगाल की खाड़ी की सतह पर गरम पानी की 75 मीटर मोटी तह है। उसके पानी का तापमान 29° सें. है और सतह से लगभग 120 मीटर नीचे ठंडा पानी है, जिसका ताप 6° सें. है। वस्तुतः यह ओटेक संयंत्रों की स्थापना के लिए बहुत उपयुक्त है। देश के तमिलनाडु क्षेत्र के तट पर ऐसे 4 स्थानों का पता लगाया जा चुका है जहाँ ओटेक संयंत्र स्थापित किए जा सकते हैं।

विशेषज्ञों का मत है कि देश के पश्चिमी और पूर्वी तटों के निचले भागों तथा लक्षद्वीप और अंडमान द्वीप समूहों के तटों पर छोटे–छोटे 25 से 50 मेगावॉट क्षमता के अनेक ओटेक संयंत्र स्थापित

किए जा सकते हैं। ये बिजली की स्थानीय कमी को दूर करने में सक्षम हैं। हमारे देश में मिनीकाय द्वीप में और तमिलनाडु के तट पर ओटेक संयंत्र स्थापित किए जा रहे हैं।

9. ज्वारीय ऊर्जा

समुद्र के पानी के नियतकालिक चढ़ाव और उतार को ज्वारभाटा कहते हैं। सूर्य तथा चन्द्रमा के गुरुत्वाकर्षण के प्रभाव से समुद्र में ज्वारभाटा आता है। सामान्यतया जब लहरें ऊपर उठकर नीचे गिरती हैं तो उस समय जो ऊर्जा प्राप्त होती है उसे विशेष युक्तियों द्वारा भंडारित किया जा सकता है। यह एक प्रकार से जल विद्युत् के उत्पादन जैसा है। फ्रांस में इसका उत्पादन विगत 20 वर्षों से हो रहा है। ज्वारभाटे की उत्पति को चित्र–56 में दर्शाया गया है।

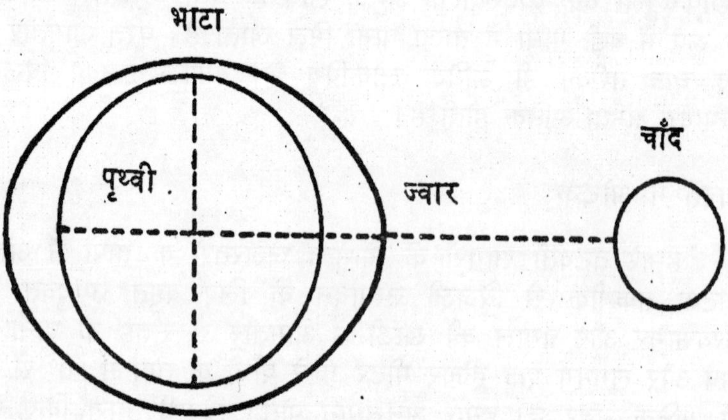

चित्र–56 ज्वारभाटे की उत्पति

सागर के ज्वार–भाटाओं में भी बहुत बड़ी मात्रा में (2×10^{17} जूल) ऊर्जा निहित है। कुछ दशक पूर्व फ्रांस ने सागर के ज्वार में निहित ऊर्जा को बिजली में रुपांतरित करने हेतु सफल प्रयोग किया था। इस प्रकार पहला बिजलीघर रांस की खाड़ी में अब भी कार्यरत है। उसके बाद फ्रांस में तथा अन्य देशों में इस प्रकार के अनेक बिजलीघर स्थापित किए गए। इनमें कुछ का विवरण सारणी – 18 में दिया जा रहा है।

सारणी 18. विश्व के कुछ प्रमुख ज्वार बिजलीघर

ज्वार बिजलीघर	देश	वार्षिक उत्पादन (करोड़ किलोवाट घंटों में)
रांस	फ्रांस	80
लोरिया	फ्रांस	24
चोसे	फ्रांस	1,500
आर्गना लांसिए	फ्रांस	85
ब्रैस्ट	फ्रांस	90
सोम	फ्रांस	100
परसामो कोडी	सं. राज्य अमेरिका	60
फंडी की खाड़ी	कनाडा	160
सेवर्न	ब्रिटेन	237
सानसोज की खाड़ी	अर्जेंटाइना	1000

इसमें विद्युत् उत्पन्न करने के लिए पहले ज्वार के प्रवाह को किसी खाड़ी या बड़े जलाशय में भर लिया जाता है और खाड़ी के द्वार पर जहाँ वह सागर से मिलती है, एक अवरोधक लगा दिया जाता है। यह अवरोधक एक प्रकार से बांध का कार्य करता है और ज्वार के पानी का आधिक्य ही इस पर से बहकर सागर में जा सकता है। इससे ज्वार के पानी का स्तर सागर में पानी के स्तर से बहुत ऊँचा हो जाता है। अब ज्वार के पानी को सागर में गिराकर अवरोधक के पास लगे टरबाइनों को चलाया जाता है। इस प्रकार ज्वार के पानी की स्थितिज ऊर्जा विद्युत् में परिवर्तित कर लिया जाता है। इस व्यवस्था में उस समय व्यवधान उत्पन्न हो जाता है जब 'शीर्ष' (हैड) कम हो जाता है। वस्तुतः शीर्ष का तात्पर्य सागर में जल के सामान्य स्तर तथा संग्रहित जल के स्तर के अंतर से है। ऐसी अवस्था में टरबाइन बंद हो जाती है।

बिजली बनाने के लिए ज्वार की स्थितिज ऊर्जा का ही नहीं गतिज ऊर्जा का भी उपयोग किया जा सकता है। ज्वार की गतिज ऊर्जा से प्राप्त विद्युत् आमतौर से ज्वार के ऊर्ध्वाधर शीर्ष के वर्ग की समानुपाती होती है तथा बृहत् ज्वार (सबसे ऊँचे ज्वार) से प्राप्त ऊर्जा का मान लघु (सबसे नीचे) ज्वार से प्राप्त ऊर्जा से सात गुना अधिक होता है।

ज्वार से प्राप्त ऊर्जा के मान को निरंतर एक समान बनाए रखने के लिए उत्पादन व्यवस्था में अनेक संशोधन किए गए है और अनेक प्रकार की तकनीकें सुझाई गई हैं। इन संशोधनों के परिणामस्वरूप अब ऐसे संयंत्र (चित्र – 57) उपलब्ध हैं जिनसे केवल उतरते या केवल चढ़ते अथवा उतरते और चढ़ते, दोनों प्रकार के ज्वारों से बिजली बनाई जा सकती है। साथ ही एक संग्रहण क्षेत्र वाले या दो संग्रहण क्षेत्रों वाले अथवा पंप भंडारण व्यवस्था वाले संयंत्र भी विकसित कर लिए गए हैं। इन संयंत्रों की दक्षता अलग–अलग होती है। दो संग्रहण क्षेत्रवाले संयंत्रों की दक्षता सबसे अधिक, 35 प्रतिशत होती है। आजकल ऐसे संयंत्र भी विकसित कर लिए गए हैं, जिनमें तीन संग्रहण – क्षेत्रों का उपयोग किया जा रहा है।

इस तकनीक से बिजली प्राप्त करने में उत्पादन लागत बहुत कम आती है। इससे बिल्कुल भी प्रदूषण नहीं होता और निरंतर बिजली प्राप्त की जा सकती है। परंतु ज्वार–भाटा काल और सौर दैनिक काल में थोड़ा सा अंतर आ जाने पर उत्पन्न होने वाली ऊर्जा का मान बदल जाता है। इसमें समुद्री तूफानों आदि से तथा समुद्री पानी और कीटों आदि के कारण होनेवाले क्षारण से संयंत्रों की रक्षा हेतु उपाय करने पड़ते हैं।

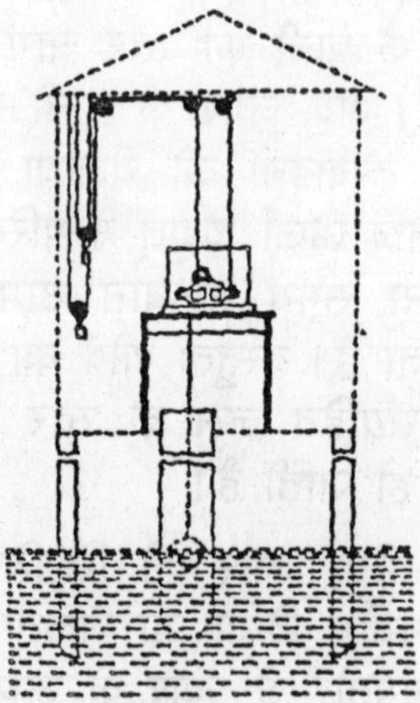

चित्र – **57.** टाइड मेज

ज्वार से बिजली उत्पादन करने के क्षेत्र में कनाडा, अर्जेंटाइना, संयुक्त राज्य अमेरिका, चीन, ब्रिटेन, रूस तथा जापान आदि देशों में

बहुत कार्य हुआ है। हमारे देश में कच्छ और भावनगर के तटों पर तथा खंभात की खाड़ी, डायमंड हार्बर (कोलकाता के समीप) में आने वाले ज्वारों से बिजली बनाई जा सकती है।

ज्वार द्वारा विद्युत् बनाने के संयंत्र को चित्र–58 में दर्शाया गया है।

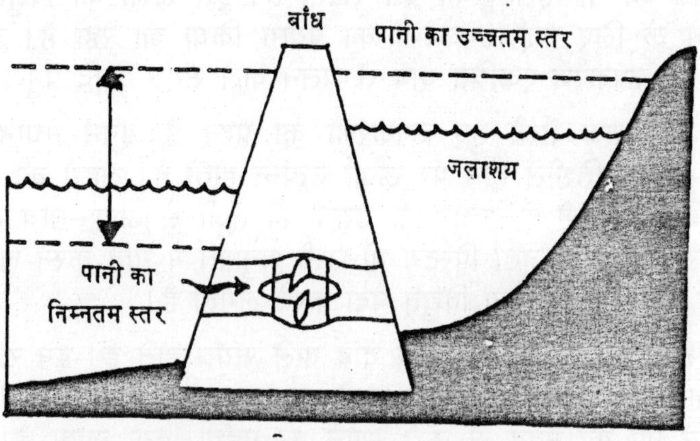

चित्र–58 ज्वार द्वारा विद्युत् बनाने का संयंत्र

10. लहरों से बिजली

आप समुद्र किनारें खड़े होकर आती–जाती लहरों को गौर से देखिए तो उनमें एक लय नजर आएगी। यह लय उत्पन्न होती है ताप और वायु के सहयोग से। इस बात को कुछ यों भी समझा जा सकता है कि पवन की गतिशीलता हवा के दबाव के अंतर के कारण उत्पन्न होती है, दबाव में अंतर सूर्य ऊर्जा से उत्पन्न तापीय अंतर से पैदा होता है। सागर तथा समुद्र में उपस्थित लहरें भी सूर्य की ऊर्जा से उत्पन्न तापीय अंतर और पवन द्वारा तापीय ऊर्जा ह्रास के कारण उत्पन्न होता है। जैसा कि प्रारम्भ में स्पष्ट किया गया है कि सौर ऊर्जा से समुद्र की सतहें गरम होना एक सहज प्राकृतिक प्रक्रिया है। यह गरमाहट जितना नीचे जाते हैं, कम होती चली जाती है। चूंकि निचली सतहों का पानी ठंडा होता है, अतः ज्यों–ज्यों उन तक गरमाहट पहुंचती है पानी के कण ऊपर आने लगते हैं। जब हवाएं चलती हैं तो उसका वेग ऊपरी सतह की गरमाहट उड़ाती जाती है। इस तरह से ताप में कमी आ जाती है और लहरें पैदा होती जाती है।

परीक्षणों में पाया गया हैं कि जब पानी के कण ऊपर उठते हैं तो ऊपर दो मुख्य बल कार्य करने लगते हैं जो गुरुत्वाकर्षण तथा चक्राकार घुमाव के कारण उत्पन्न होते हैं। इस तरह से लहरों में एक शक्ति उत्पन्न हो जाती है। जो कई बार भारी पदार्थों, यहां तक कि जलपोत को भी हिलाने का दम रखती है। इस ऊर्जा को विद्युत् में बदलने के लिए कई उपकरणों का प्रयोग किया जा रहा है। इनमें तैरते हुए उपकरण एकत्रित दाब से चलने वाले संयंत्र आदि प्रमुख हैं।

जहां तक तैरते हुए उपकरणों का प्रश्न है, इनमें मचान के ऊपर–नीचे गतिशील होने पर ऊर्जा उत्पन्न होती है। लहरों की गति जितनी तीव्र होती है, मचान भी उतनी ही तेजी से ऊपर–नीचे होता है। इस मचान से जुड़ा पिस्टन भी उसी अनुपात में गति करने लगता है जो जेनरेटर को चला विद्युत् पैदा करने लगता है।

इसी प्रकार एकत्रित उच्च दाब वाले संयंत्र होते हैं। इन संयंत्रों में लहरों की उठक–पटक से पानी का दबाव बढ़ाया जाता है जिसे बाद में पंप की मदद से ऊँचे स्थान पर पहुंचा दिया जाता है। जो टरबाइन में गति पैदा कर देता है और विद्युत् उत्पन्न हो जाती है।

इसके अलाव भी कई ऐसे उपकरण तैयार कर लिए गए हैं जो समुद्र की लहरों से ऊर्जा पैदा करते हैं। समुद्र की लहरों से ऊर्जा तैयार करने का पहला संयंत्र केरल में विजिंगम तट पर बनाया गया है। इस परियोजना को आई.आई.टी. मद्रास, केरल राज्य का हार्बर इंजीनियरिंग विभाग और त्रिवेन्द्रम का सेंटर फॉर अर्थ साइंसेज स्टडीज संयुक्त रूप से चला रहे हैं। तीन निजी कंपनियां भी इस कार्य में लगी हैं। यह संयंत्र अधिकतम 150 किलोवाट तक बिजली तैयार कर सकता है और वर्ष में 10 महीने औसतन 75 किलोवाट विद्युत् बना सकता है। एक रिपोर्ट के अनुसार अंडमान निकोबार द्वीप समूह में समुद्री ताप ऊर्जा से विद्युत बनाने की अच्छी संभावनाएं हैं

सागर की लहरों से ऊर्जा उत्पन्न करने के संयंत्र को चित्र–59 में दर्शाया गया है।

11. गैस हाइड्रेट – ऊर्जा के अक्षुण्ण भंडार

अनुसंधानों द्वारा विदित हुआ है पृथ्वी की ऊपरी परत और अंदर की पपड़ी में गैसों की ठोस अवस्था पाई जाती है, जो हाइड्रेट

कहलाती है। ये वे यौगिक हैं, जिनमें ऊर्जा का विपुल भंडार है। इनको ऊर्जा कैप्स्यूल भी कहते है। इसी प्रकार के हाइड्रेट समुद्रों और महासागरों के नीचे भी विद्यमान है।

चित्र–59 सागर की लहरों से ऊर्जा उत्पन्न करने का संयंत्र

ऊर्जा के क्षेत्र में गैस हाइड्रेट एक नवीन खोज है। वर्तमान में समाज के सम्मुख उत्पन्न ऊर्जा संकट को कुछ हद तक दूर करने में इनकी महती भूमिका है। हाइड्रेट्स की खोज करने में सबसे बड़ा कारण इसके बहुत बड़े भंडार का होना है। इनके भंडार के बारे में 20,000 ट्रिलियन क्यूबिक मीटर (टीसीएम) का आकलन किया गया है। वस्तुतः गैस हाइड्रेट एक बर्फ के समान रवेदार या क्रिस्टलाइन ठोस है जो कि पानी एवं प्राकृतिक गैस के मिश्रण से प्राप्त होते है। ये हाइड्रेट अवसादी चट्टानों के सरंध्रों में सीमेंट अथवा परत के रूप में विद्यमान रहते हैं। इन हाइड्रेट्स के निर्माण के लिए विभिन्न प्राकृतिक गैसें – कार्बन डाइ ऑक्साइड, हाइड्रोजन सल्फाइड एवं अन्य कम कार्बनयुक्त हाइड्रोकार्बन इत्यादि उपयुक्त हैं, परंतु इन सब गैसों में मीथेन का स्थान प्रमुख है।

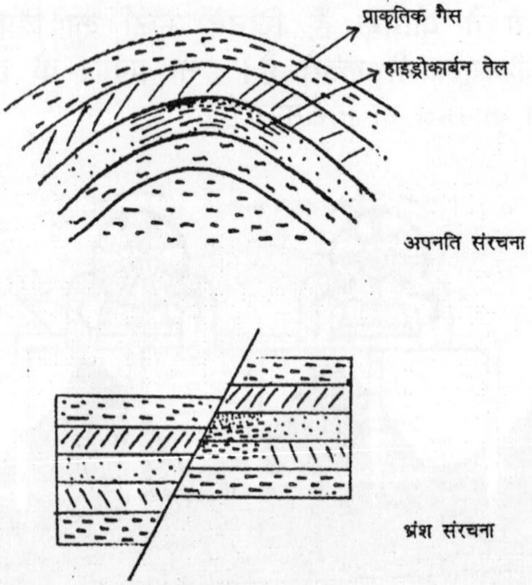

चित्र 60.

अनुसंधानों से विदित हुआ है कि हाइड्रेट के इकाई आयतन से लगभग 160 इकाई आयतन मीथेन गैस प्राप्त होती है। इस प्रकार यह अनुमान है कि पूरे विश्व में मीथेन की मात्रा के लगभग दोगुने के बराबर है। गैस हाइड्रेट को चित्र 60, 61 एवं 62 में दर्शाया गया है।

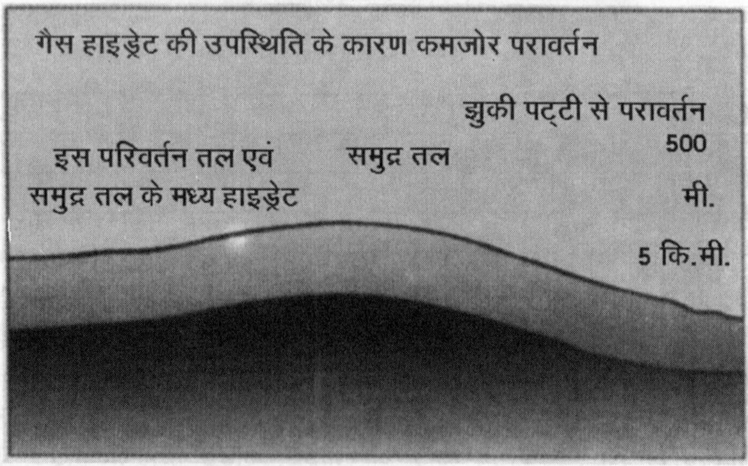

चित्र 61. गैस हाइड्रेट

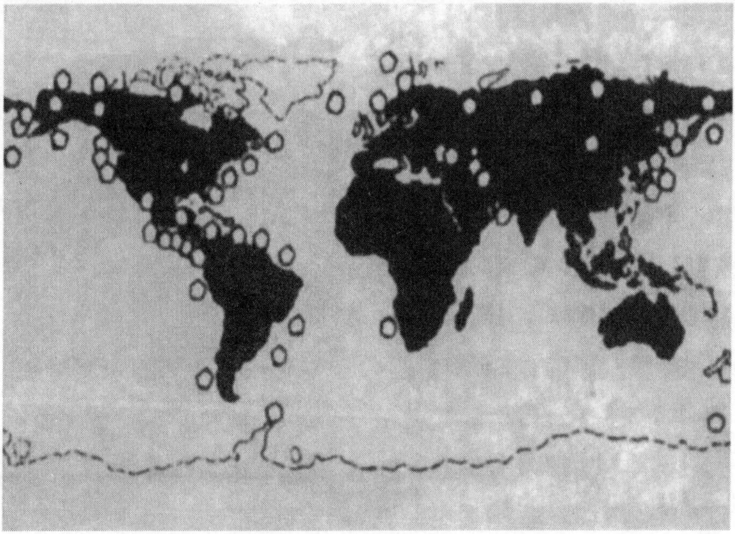

चित्र 62. गैस हाइड्रेट

गैस हाइड्रेट समुद्र के तलछट के नीचे होते हैं। इन स्थानों की जानकारी (Seismic) प्रयोगों के माध्यम से जानी जाती है। वस्तुतः (Seismic) अध्ययन, भूभौतिकीय विज्ञान में महत्वपूर्ण विधा है। जिसके कारण पृथ्वी की आंतरिक संरचना समझना, जो एक दुष्कर कार्य होता है, आसान बन गया है।

भारतीय परिप्रेक्ष्य में गैस हाइड्रेट की संभावना को देखते हुए देश के वरेण्य वैज्ञानिकों ने ऊर्जा की जरूरतों को पूरा करने हेतु इनके दोहन की सिफारिश की है। ऐसा अनुमान किया गया है कि गैस हाइड्रेट्स का विशाल भंडार भारतीय समुद्र तट सीमा पर लगभग कुछ मीटर से 3000 मीटर की गहराई में मौजूद है। इसलिए 'गैस हाइड्रेट' कार्यक्रम के अंतर्गत गैस हाइड्रेट्स व उससे जुड़ी समस्याओं पर वैज्ञानिक कार्य तेजी से चल रहा है। चित्र–63 में उन विशेष क्षेत्रों को दिखाया गया है, जहाँ गैस हाइड्रेट्स के मिलने की संभावनाएं है।

अतः राष्ट्र हित में हमें गैस हाइड्रेट्स अन्वेषण के 'राष्ट्रीय गैस हाइड्रेट कार्यक्रम' के तहत मिशनरी भावना से काम करना होगा। वस्तुतः आवश्यकता आविष्कार की जननी है और यह गैस हाइड्रेट्स एक ऊर्जा के रूप में अत्यंत आवश्यक रूप से उभरकर चुनौती दे रहा है।

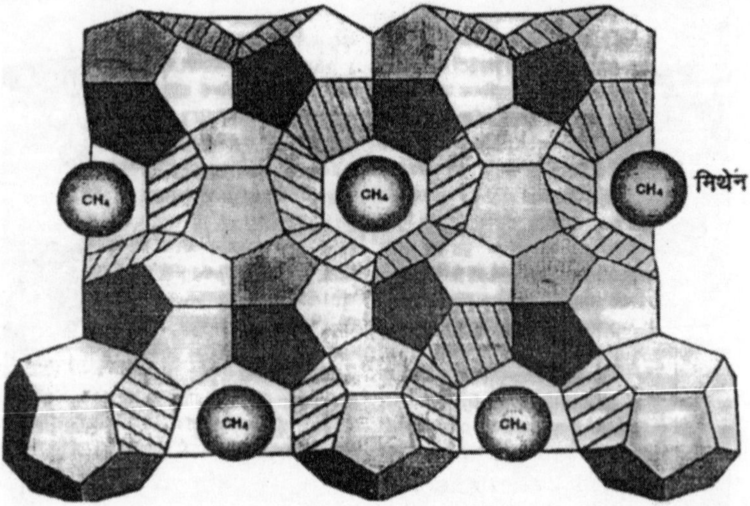

चित्र 63. गैस हाइड्रेट्स उपलब्धता के क्षेत्र

12. परमाणु ऊर्जा

वर्तमान समय में परमाणु ऊर्जा, ऊर्जा संकट के समाधान हेतु एक सशक्त विकल्प है। यूरेनियम तथा थोरियम दो ऐसे तत्व हैं जिनके परमाणु विखण्डन से प्रचुर ऊर्जा निकलती है। हर्ष का विषय है कि ये दोनों तत्व विविध खनिजों के रूप में भारत के कई भागों में उपलब्ध हैं। विश्व में थोरियम का सबसे बड़ा भण्डार भारत में ही है। (दक्षिण पश्चिम समुद्र तट क्षेत्रों में इसके भण्डार बहुतायत से पाए जाते हैं।) भारत में परमाणु शक्ति का विकास सन् 1964 में आरंभ हुआ और 1972 में ट्राम्बे में पहली परमाणु भट्टी काम करने लगी। कलपक्कम (तमिलनाडु) तथा नरोरा (उत्तरप्रदेश) में दो और परमाणु बिजली केन्द्रों का निर्माण पूर्णतया भारतीय घटकों तथा भारतीय इंजीनियरों द्वारा किया जा रहा है।

भारत में नाभिकीय शक्ति कार्यक्रम कई चरणों में बनाया गया है। संयुक्त राज्य अमेरिका की अंतरराष्ट्रीय जनरल इलैक्ट्रिक कम्पनी द्वारा तारापुर पॉवर स्टेशन को एक अपने आप चलने वाली (टर्न–की) परियोजना के रूप में बनाया गया। इसकी संस्थापित क्षमता 400 मेगावाट है। रियेक्टर में समृद्ध यूरेनियम तथा "हलका पानी" मॉडरेटर

एवं शीतक के रूप में प्रयोग किया जाता है। नाभिकीय शक्ति के प्रयोग में शंका के उपरान्त भी यह उचित होगा कि यूरेनियम की, जिसका देश में सीमित भण्डार लगभग 50 हजार टन है, पूर्णतया उपयोग में लाया जाय। प्रथम चरण में यह निश्चय किया गया कि भारी पानी पॉवर स्टेशन की स्थापना की जाए जिसके द्वारा प्लूटोनियम उपोत्पादन के रूप में मिलेगा।

कालांतर में भारत में किसी भी भावी नाभिकीय शक्ति के कार्यक्रम को थोरियम पर निर्भर होना पड़ेगा क्योंकि भारत में थोरियम के संसार में सबसे बड़े भण्डार हैं। थोरियम का सुरक्षित भण्डार 76 लाख टन हैं। अतः दूसरे चरण में इस प्लूटोनियम को प्रयोग किए गए ईंधन से प्राप्त यूरेनियम के साथ तीव्र प्रजनक रियेक्टरों के सम्भरण हेतु प्रयोग किया जाएगा। इन तीव्र प्रजनक रियेक्टरों का विशेष गुण है कि जितना विखण्डनीय पदार्थ उनमें डाला जाता है उससे अधिक विखण्डनीय पदार्थ वे उत्पन्न करते हैं।

परमाणु ऊर्जा के क्षेत्र में अंतरराष्ट्रीय स्तर पर बहुत शोध हुआ है और यह सिद्ध हो चुका है कि इस क्षेत्र में व्यापक संभावनाएँ हैं।

भारत में परमाणु ऊर्जा के क्षेत्र में प्रगति की कम सम्भावनाएँ हैं। सन् 1994 में देश में नौ परमाणु रियेक्टर काम कर रहे थे और इनसे 1593 मेगावाट बिजली का उत्पादन हो रहा था। इनके अलावा पाँच निर्माणाधीन परमाणु रियेक्टरों के पूरा हो जाने पर 1010 मेगावाट अतिरिक्त बिजली मिलने की सम्भावना है।

वर्तमान उष्मीय परमाणु बिजली केन्द्र, उत्पादन के लिए केवल यूरेनियम–235 का उपयोग करते हैं। तेज प्रजनक परमाणु भट्‌टी को विकसित करके इस स्रोत का संवर्धन किया जा सकता है जो कि प्रचुर मात्रा में प्राप्त यूरेनियम – 38 तथा थोरियम–232 का उपयोग करते हैं। जिनका भण्डार 300–500 वर्षों के लिए पर्याप्त होगा। ये रियेक्टर कम ईंधन व्यय करके अधिक ऊर्जा उत्पादित करते हैं किन्तु ये रियेक्टर भी हर प्रकार से उतने ही खतरनाक हैं जितने कि उष्मीय परमाणु केन्द्र होते हैं।

परमाणु ऊर्जा से सम्बद्ध दो गम्भीर समस्याएँ हैं – अपशिष्टों का निपटान तथा दुर्घटना से सुरक्षा। परमाणु से ऊर्जा निकलने के बाद जो अपशिष्ट बचता है, वह रेड़ियो सक्रिय होता है। इससे बीटा तथा

गामा विकिरण निकलते हैं। यह अपशिष्ट अनेक वर्षों तक इसी प्रकार हानिकारक विकिरण उत्पन्न करता है। ये विकिरण मनुष्यों के लिए अत्यन्त हानिकारक हैं। अतः इनसे होने वाले प्रदूषण से बचने के लिए इन्हें सुरक्षित स्थान में गाड़ना जरूरी है। इन दोनों से बचने के लिए वैज्ञानिकों ने परमाणु ऊर्जा के विकल्प स्वरूप संलयन ऊर्जा की खोज कर ली है। जिस प्रकार परमाणु ऊर्जा परमाणु के विखण्डन से प्राप्त की जाती है उसी प्रकार परमाणुओं के जोड़ने से उनके संलयन से, संलयन ऊर्जा मिलती है। सूर्य की अनन्त ऊर्जा इसी संलयन ऊर्जा का परिणाम है। सूर्य के भीतर हाइड्रोजन परमाणुओं का संलयन होता है जिससे अत्यन्त ऊर्जा उत्पन्न होती है।

पृथ्वी पर भी वैज्ञानिक ड्यूटीरियम, ट्राइटियम या ट्राईहीलियम के नाभिकों में नियंत्रित फ्यूजन अभिक्रियाओं द्वारा लाभदायक ऊर्जा प्राप्त करके के लिए प्रयत्न कर रहे हैं। यह संलयन दस करोड़ डिग्री सेण्टीग्रेड पर संभव है। इतना उच्चताप तो हाइड्रोजन बम से ही सम्भव है। किन्तु अब प्लाज्मा विधि से इतना ताप उत्पन्न किया जा सकता है। इस ऊर्जा में नाममात्र के बराबर प्रदूषण होगा। फ्यूजन अभिक्रियाओं में प्रयुक्त ईंधन ड्यूटीरियम प्राप्त करने की उत्पादन लागत कोयले की उत्पादन लागत से भी कम है। यद्यपि नाभिकीय शक्ति कार्यक्रम एक तीव्र अनुसंधान एवं विकास कार्यक्रम है किन्तु भारत ने इस क्षेत्र में पर्याप्त दक्षता प्राप्त कर ली है।

परमाणु ऊर्जा का सम्बन्ध परमाणु के नाभिक से है। परमाणु के नाभिक में प्रोटॉन, न्यूट्रॉन आदि कणिकाएँ एक अटूट शक्ति के द्वारा आपस में जुड़े रहते हैं। यही कारण है कि नाभिक को तोड़ना आसान काम नहीं होता। परन्तु नाभिक एकदम स्थिर नहीं होता। उसमें भी हमेशा हलचल मची रहती है। यूरेनियम और रेडियम जैसे कुछ भारी तत्वों के नाभिक अपने आप ही बहुत धीरे–धीरे टूटते रहते हैं। तब इन तत्वों के नाभिकों से छोटी–छोटी कणिकाएँ और किरणें बाहर निकलती रहती है।

प्रकृति में ऐसे बहुत थोड़े तत्व हैं जिनके नाभिक अपने आप टूटते रहते हैं। इन्हें प्राकृतिक रेड़ियोधर्मी तत्व कहते हैं। परन्तु अब वैज्ञानिक लगभग हर तत्व के परमाणु को रेडियोधर्मी बना सकते हैं। इसके अलावा, कुछ भारी तत्वों के परमाणुओं के नाभिकों को भी

तोड़ना संभव हो गया है। ये नाभिक जब टूटते हैं तो छोटी–छोटी कणिकाएँ तेजी से बाहर दौड़ती हैं। साथ ही शक्तिशाली किरणें भी फूटती हैं। इन कणिकाओं और किरणों की शक्ति को ही "**परमाणु ऊर्जा**" कहते हैं। चूँकि यह ऊर्जा परमाणु के नाभिक के भीतर से निकलती है, इसलिए इसे नाभिकीय ऊर्जा (न्यूक्लियर एनर्जी) कहना श्रेष्टतर होगा।

परमाणु ऊर्जा प्राप्त करने की दो विधियाँ हैं। एक में परमाणुओं के नाभिकों को तोड़ा जाता है और दूसरी में परमाणुओं के नाभिकों को जोड़ा जाता है। पहली "विखण्डन" की विधि कहलाती है और दूसरी संलयन। परमाणु बम की ऊर्जा नाभिकों के विखण्डन की ऊर्जा है। हाइड्रोजन बम की ऊर्जा संलयन की ऊर्जा है। इसे हम ताप नाभिकीय ऊर्जा भी कहते हैं (चित्र – 64)।

इस ऊर्जा का मुख्य ईंधन है – प्राकृतिक यूरेनियम, जिसके दो महत्वपूर्ण घटक हैं, यू–235 और यू–238। इनमें से यू–235 के नाभिकों को मदद न्यूट्रॉन कणों से तोड़कर ऊर्जा प्राप्त की जा सकती है। यदि कोई न्यूट्रॉन कण यू–235 के नाभिक पर चोट करता है, तो उसके दो टुकड़े हो जाते हैं। साथ ही, औसतन तीन नये न्यूट्रॉन कण और दूसरी कुछ कणिकाएँ जन्म लेती हैं। ये तीन नये न्यूट्रॉन कण आगे तीन और यू–235 के नाभिकों को तोड़ते हैं। इस प्रकार, बड़ी तेजी से अरबों–खरबों नाभिक टूट जाते हैं। इसके साथ ही किरणों और कणिकाओं के रूप में भारी मात्रा में परमाणु ऊर्जा पैदा होती है।

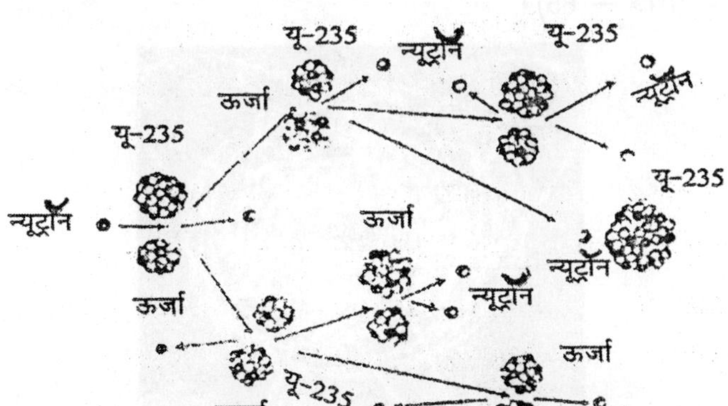

चित्र–64. न्यूट्रॉन के आघात से यूरेनियम–235 का विखंडन और ऊर्जा उत्पादन

प्राकृतिक यूरेनियम में यू–235 के अलावा बड़ी संख्या में यू–238 के परमाणु भी होते हैं। विखण्डन की क्रिया में यू–235 के नाभिक तो टूटते हैं, परंतु यू–238 के परमाणुओं का क्या होता है? न्यूट्रॉन कण जब यू–238 के परमाणु पर चोट करता है, तो वह एक नये तत्व प्लूटोनियम में बदल जाता है। फिर इस प्लूटोनियम के नाभिकों को आसानी से तोड़ा जा सकता है, और ऊर्जा प्राप्त की जा सकती है। इससे परमाणु बम भी बन सकते हैं। प्लूटोनियम मानव निर्मित तत्व है।

इस प्रकार यूरेनियम–235 और प्लूटोनियम के नाभिकों को तोड़ा जाए, तो हमें परमाणु ऊर्जा मिलती है। इनकी न्यूट्रॉन कणों से धीरे–धीरे तोड़ने की व्यवस्था की जाए तो धीरे–धीरे ऊर्जा मिलती है। इन्हें यदि एक झटके के साथ तोड़ने की व्यवस्था की जाए तो एक भयंकर विस्फोट के रूप में भीषण ऊर्जा पैदा होती है। जिस व्यवस्था में यू–235 और प्लूटोनियम के नाभिकों को धीरे–धीरे तोड़ा जाता है, उसे "परमाणु रियेक्टर" कहते हैं। लेकिन इनके नाभिक जब एक साथ टूटते हैं तो भयंकर विस्फोट होता है। इसे हम परमाणु बम कहते हैं।

रियेक्टर के भीतर यूरेनियम–235 और प्लूटोनियम के नाभिकों के टूटने से कणिकाओं और किरणों के रूप में जो ऊर्जा पैदा होती है उसे बाहर निकालने के लिए पानी का उपयोग होता है। पानी की भाप बनती है। भाप की शक्ति से जेनरेटर चलते हैं और बिजली पैदा होती है (चित्र – 65)।

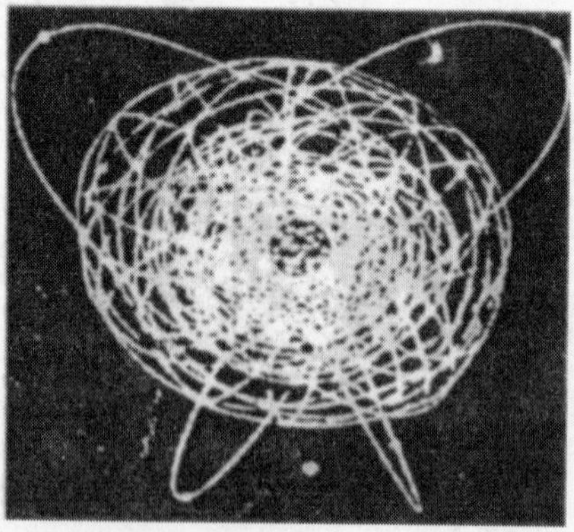

चित्र – **65**. यूरेनियम का परमाणू

यदि रियेक्टर में सामान्य यूरेनियम (यू–235 व यू–238) ईंधन का उपयोग किया जाए तो उसमें से ऊर्जा बाहर निकालने के लिए भारी पानी का प्रयोग करना पड़ता है। सामान्य पानी और भारी पानी में अन्तर यह है कि जहाँ सामान्य पानी के अणु में ऑक्सीजन का एक और सामान्य हाइड्रोजन के दो अणु होते हैं, वहाँ भारी पानी के अणु में ऑक्सीजन का एक और भारी हाइड्रोजन (ड्यूटीरियम) के दो परमाणु होते हैं। हमारे देश में मनगुरु (आंध्रप्रदेश), कोटा (राजस्थान), हजीरा व बड़ोदरा (गुजरात), थाल (महाराष्ट्र), तूतीकोरिन (तमिलनाडु) और नांगल (पंजाब) में भारी पानी के कारखाने हैं (चित्र – 66)।

प्राकृतिक यूरेनियम में यू–235 की मात्रा को लगभग 95 प्रतिशत तक बढ़ाया जा सकता है, परन्तु यह काफी कठिन और खर्चीला कार्य है। ऐसे यूरेनियम को "संवर्धित यूरेनियम" कहते हैं। रियेक्टर में संवर्धित यूरेनियम का उपयोग करने पर भारी पानी की जरूरत नहीं पड़ती है, सामान्य पानी से ही काम चल जाता है।

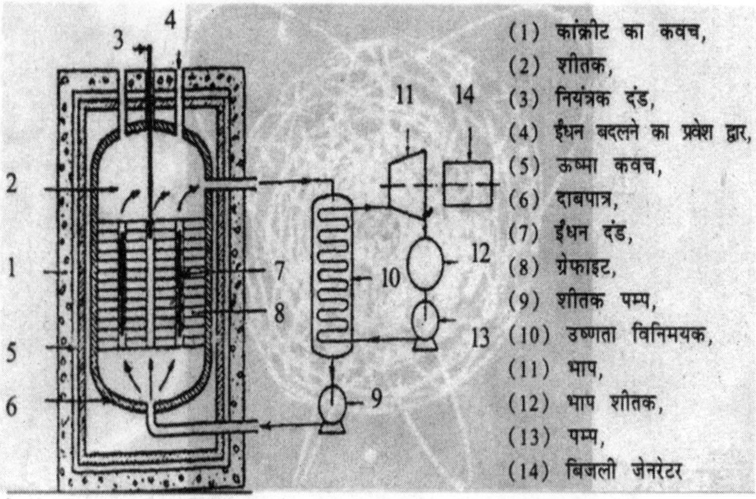

चित्र – 66. परमाणु बिजलीघर की संरचना

दूसरे महायुद्ध के दौरान परमाणु ऊर्जा के युग की शुरुआत हुई। संसार का पहला परमाणु बिजलीघर 1954 ई० में बना। हमारे देश में मुम्बई से लगभग 100 किलोमीटर उत्तर में जो पहला तारापुर परमाणु बिजलीघर बना उसमें 1969 ई० से बिजली का उत्पादन हो

रहा है। तारापुर परमाणु बिजलीघर विदेशी सहायता से बना था और उसमें संवर्धित यूरेनियम और सामान्य पानी का उपयोग होता है।

तारापुर के बाद देश में जो परमाणु बिजलीघर बने उन सब में से शुद्ध यूरेनियम और भारी पानी का इस्तेमाल होता है। आज देश में 12 रियेक्टर बिजली पैदा कर रहे हैं। इनमें दो–दो रियेक्टर तारापुर (महाराष्ट्र), कोटा (राजस्थान) कलपक्कम (तमिलनाडु), नरौरा (उत्तर प्रदेश) और काकरापार (गुजरात) में हैं। साथ ही, कैगा (कर्नाटक) और रावतभाटा (राजस्थान) के परमाणु बिजलीघरों की एक–एक इकाई भी बिजली पैदा कर रही है। इनके अलावा, तारापुर में दो नये और कुदमकुलम (तमिलनाडु) में हजार–हजार मेगावाट के दो रियेक्टर निर्माणाधीन हैं। आज देश में करीब 1500 मेगावाट परमाणु बिजली पैदा होती है (चित्र 67)।

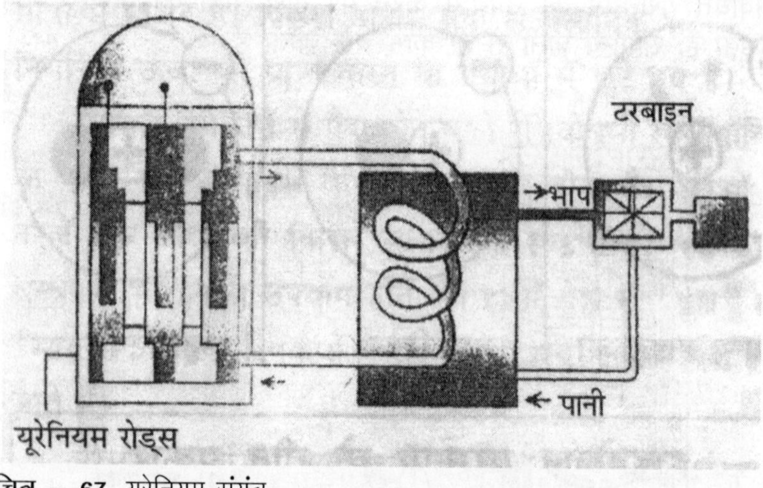

चित्र – **67**. यूरेनियम संयंत्र

बायोडीजल – ऊर्जा का स्रोत

जैसा कि वर्णित किया जा चुका है विश्व स्तर पर प्रतिवर्ष ऊर्जा की खपत में लगभग तीन गुना वृद्धि के फलस्वरूप ऊर्जा संकट आज के युग की वास्तविकता है। ऊर्जा के पारंपरिक स्रोत समाप्त होने वाले है। अतः घरेलू ईंधन हेतु गैर पारंपरिक संसाधनों का उपयोग ही एक मात्र विकल्प रह जाता है।

अन्य विकल्प की श्रृंखला में बायोडीजल भी एक विकल्प है, जो स्वच्छ, प्रभावी, आविषालु तथा प्रयुक्त और अप्रयुक्त वनस्पति तेलों व जानवरों की वसा से ट्रांसएस्टरीकरण विधि द्वारा बनाया जाता है। इसे असमांगी उत्प्रेरक का प्रयोग करके भी बनाया जाता है और डीजल के साथ मिलाया जा सकता है।

बायोडीजल क्या है?

वस्तुतः बायोडीजल वसीय अम्लों की लंबी श्रृंखला का एकल एल्किल एस्टर है, जो उत्प्रेरक की उपस्थित में एल्कोहल और तेल की अभिक्रिया के फलस्वरूप बनता है। इसको बायोडीजल इसलिए कहते हैं क्योंकि इसे पुनः उत्पादित वस्तुओं से प्राप्त किया जाता है और इसका जैविक अपघटन भी हो सकता है। इसके कम ज्वलन–शील होने के कारण दुर्घटना होने की आशंका भी न्यून रहती है।

वैसे तो इसे अलसी, महुआ और अरंडी के पौधों से भी प्राप्त किया जा रहा है। परन्तु अब तक किए गए अनुसंधान के अनुसार "जटरोफा करकास" का पौधा बायोडीजल उत्पादन हेतु सबसे उपयुक्त पाया गया है। इसके रतनजोत, जंगली अरंडी, जमालगोटा या काली अरंडी भी प्रचलित नाम है। इसके प्रत्येक बीज से 30–40 प्रतिशत तक तेल प्राप्त किया जा सकता है। ट्रांसएस्टरीकरण की प्रक्रिया में तेल में ट्राईग्लिसेराइड को मिथाइल एस्टर में बदला जाता है। इन अभिक्रियाओं के फलस्वरूप बायोडीजल प्राप्त होता है जिसके साथ अत्यन्त उपयोगी सहउत्पाद, जैसे– तेल रहित खली तथा ग्लिसरीन भी बनता है। ऐसा ज्ञात हुआ है कि एक किलोग्राम जटरोफा तेल से 2.3 किलोग्राम तेल रहित खली प्राप्त की जा सकती है, जिसमें 38 प्रतिशत प्रोटीन और एन.पी.के. (3.2–4.4, 1.4–2.2, 1.2–1.7) होता है, जो एक उपयोगी उर्वरक हो सकता है।

बायोडीजल से लाभ

बायोडीजल से निम्नांकित लाभ हैं।

1. यह पेट्रोलियम ईंधन का एक बहुत अच्छा विकल्प है।
2. पुनः उत्पादित ईंधन होने से ऊर्जा के लक्ष्य को पाने में सक्षम है।

3. ऊर्जा संतुलन में सहायक है।
4. यह ग्रीनहाउस गैसों के उत्सर्जन में कमी लाने में सहायता प्रदान करता है।
5. जैविक रूप से विघटनशील, आविषालु ईंधन जो संरक्षित क्षेत्रों, समुद्री जीवन और अन्य पर्यावरण की दृष्टि से संवेदनशील क्षेत्रों के लिए लाभकारी है।

अतः ऊर्जा की बढ़ती खपत, घटते स्रोत एवं तत्संबंधित प्रदूषण को देखते हुए बायोडीजल को भविष्य का एक बेहतर वैकल्पि ईंधन जो पूर्णतया पर्यावरण सहयोगी भी है, के रूप में विकसित करने की अत्यन्त आवश्यकता है।

ऊर्जा संरक्षण : वर्तमान की आवश्यकता

भारत जैसे विकासशील देश के लिए ऊर्जा की मांग और आपूर्ति में भारी अंतर होने के कारण देश की उन्नति के लिए ऊर्जा उत्पादन के साथ–साथ ऊर्जा संरक्षण की भी महती आवश्यकता है।

कृषि करने से लेकर उद्योग स्थापित करने की दिशा में ज्यों–ज्यों प्रगति होती जा रही है, त्यों–त्यों ऊर्जा के उपभोग में भी बढ़ोतरी होती जा रही है। फलतः आज विश्व के अधिकांश विकसित और विकासशील देश ऊर्जा की कमी से प्रभावित हो रहे हैं। ऊर्जा के सीमित साधनों तथा इनकी निरंतर बढ़ती आवश्यकता को देखते हुए विश्व के समस्त देशों का ध्यान संभावित "ऊर्जा संकट" की ओर आकृष्ट हुआ है।

वस्तुतः ऊर्जा संरक्षण का अभिप्राय ऊर्जा के उपलब्ध साधनों का मितव्ययता से उपयोग करना है। ऊर्जा स्रोत तो सीमित हैं, परन्तु हमारी आवश्यकताएं असीमित हैं। मानव की प्रत्येक प्रक्रिया ऊर्जा के उपभोग पर ही आधारित है।

ऊर्जा की समस्या का समाधान ऊर्जा के नये–नये वैकल्पिक साधनों की खोज से तो होगा ही फिर भी यदि हम उपलब्ध ऊर्जा का संरक्षण कर सकें तो यह "ऊर्जा बचत" हमारे लिए उपयोगी सिद्ध हो सकती है। ऊर्जा संरक्षण के अंतर्गत निम्न बातें सम्मिलित हैं –

1. ऊर्जा की मात्रा की ओर ध्यान दिए बिना कुछ योजनाओं को पूर्णरूपेण समाप्त कर ऊर्जा की बचत करना जैसे – उत्पादन योजना रद्द करना, स्वचालित वाहन न खरीदना आदि।
2. पूर्व नियोजित योजनाओं को कार्यान्वित करते समय उनकी गुणवत्ता में कमी करके ऊर्जा की बचत करना जैसे – कार्यालय भवनों में ताप स्थायी कम करना, धीमी गति से वाहन चलाना, कम शक्ति इंजन की कार खरीदना आदि।
3. पूर्व नियोजित योजनाओं को उसी प्रकार या उससे बेहतर ढंग से कार्यान्वित करते हुए ऊर्जा उपयोग की कार्यक्षमता को बढ़ाकर, उसकी खपत में कमी करके ऊर्जा की बचत करना, जैसे – अधिक कार्यक्षम स्वचालित इंजनों, आवासों में अतिरिक्त अवरोधक के माध्यम से तेल, गैस की खपत में कमी करना, औद्योगिक प्रक्रिया द्वारा उत्पन्न अपशिष्ट ताप का प्रयोग करना आदि।

ऊर्जा संरक्षण के लिए यह जानना आवश्यक है कि किस प्रकार विभिन्न यांत्रिक इकाइयों, मशीनों तथा उनकी क्रियाओं को चालू रखने के लिए कम से कम ऊर्जा से अधिक से अधिक कार्यक्षमता प्राप्त की जा सकती है। उदाहरण के तौर पर यह जानना जरूरी है कि क्या भट्टियों में जलाए जाने वाले कोयले के प्रत्येक कण से प्राप्त ऊर्जा का हम सही उपयोग कर पाते हैं या नहीं? आजकल अधिकांश उद्योगों में भाप की आवश्यकता रहती है, यदि इन्हीं उद्योगों में अधिक दाब वाली भाप से पहले विद्युत् जेनरेटर द्वारा विद्युत् उत्पादन कर लिया जाए तथा शेष कम दाब वाली भाप को उत्पादन कार्य हेतु उपयोग में लाया जाए तो प्रत्येक औद्योगिक प्रतिष्ठान अपनी कुल विद्युत् खपत का 50 प्रतिशत से 80 प्रतिशत भाग स्वयं के स्तर पर ही पूरा कर सकता है।

तेल की बढ़ती हुई कीमतों, विदेशी मुद्रा, ट्रांसफार्मरों की चोरी आदि विविध समस्याओं को ध्यान में रखते हुए बायोगैस तकनीक का उपयोग हमारे देश के लिए लाभप्रद सिद्ध हो सकता है, एक अनुमान के अनुसार भारत के गाँवों में उपलब्ध गोबर को जैव गैस संयंत्रों के माध्यम से उपयोग करने पर प्राप्त ऊर्जा तथा खाद इस प्रकार होगी : सन् 1961 में पशु जनसंख्या के आंकड़ों के आधार पर पशु जनसंख्या

= 226 बिलियन थी जिससे ताजा गोबर प्राप्ति 1.20 बिलियन टन प्रतिवर्ष या = 250 मिलियन टन सूखा गोबर प्रतिवर्ष और संभावित प्राप्त ऊर्जा = 195 मिलियन मेगावाट घंटा हुई, साथ ही 236 मिलियन टन बढ़िया खाद या 24 बिलियन लीटर मिट्टी के तेल के बराबर ऊर्जा भी उपलब्ध हो सकती है। यदि इस प्रकार उपलब्ध होने वाली खाद की रासायनिक खाद से तुलना करें तो यह 3.5 मिलियन टन नाइट्रोजन खाद के बराबर होगी।

विशेषज्ञों के अनुसार सम्प्रति हमारे देश में पशुधन की उपलब्धि 1961 के मुकाबले कम से कम 50 प्रतिशत अधिक है, अतः उपर्युक्त आंकड़ों को ड्योढ़ा किया जा सकता है।

आजकल '**ऊर्जा–ग्राम परियोजना**' ऊर्जा संरक्षण के परिप्रेक्ष्य में काफी उपयोगी सिद्ध हुई हैं। 'ऊर्जा–ग्राम' वह ग्राम कहलाता है जिसमें लोगों की अधिकांश ऊर्जा संबंधी आवश्यकता को स्थानीय उपलब्ध नवीकरणीय ऊर्जा स्रोतों को अधिकाधिक उपयोग करके पूरा करने का प्रयास किया जाता है। इस परियोजना के अंतर्गत गाँव की अधिकांश ऊर्जा संबंधी मांगों को पूरा करने के लिए विभिन्न ऊर्जा उत्पादक उपकरणों एवं प्रणालियों में मिश्रित रूप से विचार किया जाता है। इस कार्यक्रम का उद्देश्य विभिन्न उपकरणों एवं प्रणालियों के तकनीकी कार्य निष्पादन, एकीकरण पहलुओं, सामाजिक–आर्थिक सक्षमता और समग्र विकास प्रक्रिया पर इन सबके प्रभाव का मूल्यांकन करना है।

इस प्रकार ग्रामीण क्षेत्रों में ऊर्जा संरक्षण एवं उसके अतिदक्ष उपयोग की काफी संभावनाएं हैं।

वस्तुतः ऊर्जा विकास एक सतत गतिविधि है जिसकी ग्रामीण स्तर पर सभी विकास योजनाओं से पारस्परिक सम्बद्धता हैं, आने वाले समय में यह सभी ऊर्जा की आवश्यकताओं को पूरा करने के लिए सबसे सस्ता विकल्प भी बन सकती है।

कैसे हो विभिन्न क्षेत्रों में ऊर्जा संरक्षण

हमारे देश में विभिन्न क्षेत्रों में इस्तेमाल होने वाली ऊर्जा के संरक्षण के निम्न सार्थक कदम उठाए जाने संभव है।

घरों, कार्यालयों तथा व्यावसायिक इमारतों का निर्माण कराते समय भवन वास्तुकला तथा उनकी तकनीकी बनावट पर समुचित ध्यान नहीं दिया जाता जिसका नतीजा बिजली की अधिक खपत के रूप में सामने आता है। कई कार्यालयों की इमारतों में जरूरत से बड़े रोशनदान एवं बड़े आकार की खिड़कियां देखने को मिलती हैं एवं उन्हें ठंडा–गरम रखने के लिए प्रयुक्त होने वाले बिजली के उपकरण जैसे कि ताप संवाहक (हीट कंवेक्टर), तापक, वातानुकूलन यंत्र आदि सही ऊर्जा दक्षता के न होने के कारण ऊर्जा यूं ही व्यर्थ होकर उसकी खपत भी अधिक होती है। कार्यालयों में इस्तेमाल होने वाले कंप्यूटर आदि युक्तियां भी 'वार्मिंग अप' समय बचाने के लिए चालू ही रखे जाते हैं। इससे भी ऊर्जा की काफी बरबादी होती है। (घरों में इस्तेमाल होने वाले दूरदर्शन सेटों में भी 'स्टेंड बाई' प्रणाली के कारण काफी ऊर्जा व्यर्थ जाती है।)

कार्यालयों की प्रकाश व्यवस्था भी प्रायः इस तरह होती है जो बिजली के अधिक खर्च को बढ़ावा देती है। अन्वेषी प्रयासों के चलते वैज्ञानिक सौर वास्तुकला (सोलर आर्किटेक्चर) का विकास करने में सफल हो गए है। सौर निष्क्रिय तापन (सोलर पैसिव हीटिंग) द्वारा भवनों को गरम रखने की तकनीक वैज्ञानिकों ने ढूंढ निकाली है। इस तकनीक में बिना किसी पारंपरिक ऊर्जा स्रोत के इस्तेमाल के केवल सौर ऊर्जा द्वारा ही भवनों को गरम रखा जाता है।

निष्क्रिय विधि से भवनों को ठंडा रखने की तकनीक भी विकसित कर ली गई है। इस विधि में भवनों पर लगने वाले अनावश्यक तापीय भार (थर्मल लोड) को कम किया जाता है। कई बातें इस तकनीक में शामिल हैं, जैसे कि वातानुकूलन यंत्रों के आकार को छोटा करना, जहां तक संभव हो पाए भवनों को सौर विकिरण के सीधे प्रभाव से बचाए रखना आदि। वातानुकूलन में खिड़कियों में दोहरे कांच तथा दीवारों एवं छतों में ताप अवरोधकों के इस्तेमाल द्वारा भी काफी ऊर्जा की बचत संभव है।

दरअसल भवनों पर ऊर्जा का एक बहुत बड़ा हिस्सा खर्च होता है। उन्नत ऊर्जा संरक्षण तकनीकों एवं कुशल ऊर्जा प्रबंधन द्वारा अमेरिका में भवनों में खर्च होने वाली ऊर्जा को घटाने में काफी हद तक सफलता मिली है। गौरतलब है कि अमेरिका की कुल ऊर्जा व्यय का 40 प्रतिशत हिस्सा भवनों पर ही खर्च होता है।

भारत में भी भवनों पर खर्च होने वाली ऊर्जा के प्रबंधन के लिए कुछ प्रयास किए जा रहे हैं। भारतीय प्रौद्योगिक संस्थान, दिल्ली में गरनोट मिंकी नामक कंपनी ने एक ऐसे इमारती ढांचे का निर्माण किया है जिसमें 'फनेल' सिद्धान्त का प्रयोग एक तरह की सौर चिमनी के विकास में किया गया है। इस सिद्धान्त द्वारा इस ढांचे को प्राकृतिक तौर पर ही ठंडा रखने में मदद मिलती है। नई दिल्ली के जनपथ होटल में सौर प्रकाश वोल्टीय पैनलों तथा सौर संग्रहकों (सोलर कलेक्टर) की मदद से तापन, संवातन एवं वातानुकूलन से संबंधित बहुत–सा काम लिया जाता है।

इमारतों में बिजली की बचत एवं ऊर्जा संरक्षण के लिए अमेरिका में बुद्धिमान (इंटेलीजेंट) इमारतों की कल्पना की गई। यह कल्पना वहां साकार भी हुई, जब वहां इस तरह की कई इमारतें बनकर तैयार हुई। बुद्धिमान इमारतों में बिजली की बचत के लिए प्रकाश और वातानुकूलन दोनों की व्यवस्थाएं कम्प्यूटरों तथा संवेदकों (सेंसर) के जरिए नियंत्रित की जाती हैं। प्राकृतिक तौर पर उपलब्ध नियामतों जैसे कि ठंडी बयार और सूर्य के प्रकाश का भी इन इमारतों में भरपूर इस्तेमाल किया गया है।

बुद्धिमान इमारतें बाहर से कांच से घिरी हुई दिखाई पड़ती हैं। विशेष रूप से निर्मित ये कांच अवरक्त (इन्फ्रारेड) किरणों के रूप में आने वाले सूर्य के ताप को तो रोक देते हैं परंतु प्रकाश किरणों को बिना किसी रुकावट के अंदर प्रवेश करने देते हैं।

हमारे देश की पहली बुद्धिमान इमारत मुम्बई स्थित सी एम सी हाउस है। पुणे स्थित टाटा रिसर्च डिवेलपमेंट एंड डिजाइन सेंटर (टी आर डी डी सी) भी बुद्धिमान इमारत की श्रेणी में ही आती है। राजधानी दिल्ली में हाल ही में बनकर तैयार हुई एफ सी आई की बहुमंजिली इमारत में भी बुद्धिमान कहलाए जाने के सभी गुण मौजूद है। 'द कैपिटल कोर्ट' नामक एक और व्यावसायिक बुद्धिमान इमारत दिल्ली में निर्माणाधीन है।

ऊर्जा संरक्षण की दृष्टि से बुद्धिमान इमारतें सचमुच एक नियामत हैं। इनमें प्रयुक्त उन्नत व्यवस्थाओं एवं तकनीकों के कारण बिजली के बिल में काफी कटौती हो जाती है। जैसे कि पुणे स्थित टी आर डी डी सी की बुद्धिमान इमारत में 45 प्रतिशत तक, जबकि

मुम्बई स्थित सी एम सी हाउस में 25 प्रतिशत के करीब बिजली की बचत संभव हुई है।

घरों के निर्माण में भी अगर हवा और रोशनी का समुचित ध्यान रखा जाए तो बिजली की काफी बचत हो सकती है। आजकल घरों की बनावट दोषपूर्ण होती है। परिणामतः घरों में दिन के समय भी बल्ब, ट्यूब लाईट आदि जलाने में मजबूर होना पड़ता है। लेकिन घरों की बनावट पर थोड़ा ध्यान करके सूरज की रोशनी को अंदर आने देकर हम प्राकृतिक प्रकाश से लाभ उठा सकते हैं।

मकान का निर्माण करवाते समय अगर धूप की दिशा पर ध्यान रखा जाए तो सूर्य की किरणों से मकान प्राकृतिक तौर पर गरम रह सकते हैं। मकान की दक्षिणी दीवार पर अगर हम कांच का इस्तेमाल अच्छी तरह से कर सकें तो ग्रीन हाउस प्रभाव से हम अपने मकान को गरम रख सकते हैं। उसी तरह घर बनवाते समय अगर दक्षिण दिशा का हम ध्यान रखें तो मकान काफी हवादार बन सकता है जिससे पंखे, कूलरों तथा वातानुकूलन यंत्रों की आवश्यकता काफी हद तक कम हो सकती है। इसके अलावा प्रकाशमिति (फोटोमिट्री) के सिद्धान्तों का सही इस्तेमाल करके हम अपने घरों की प्रकाश व्यवस्था को भी इस तरह बना सकते हैं जिससे बिजली की समुचित बचत हो।

आम बल्बों में काफी बिजली तापीय ऊर्जा के रूप में व्यर्थ हो जाती है। तभी इनके स्थान पर फ्लोरोसेंट ट्यूबों का इस्तेमाल शुरु हुआ। बाद में किफायती पतली ट्यूबें (स्लिम लाइन) भी बनी। ऊर्जा संरक्षण की आवश्यकता को देखते हुए आजकल बल्बों और ट्यूबों का स्थान काम्पेक्ट फ्लोरोसेंट लैंप (सी एफ एल) ले रहे हैं। कम वाट के ये लैंप न केवल कम स्थान घेरते हैं बल्कि 100 वाट से भी अधिक विद्युत शक्ति के बल्बों से उत्सर्जित प्रकाश का मुकाबला कर पाने में सक्षम हैं।

ग्रामीण क्षेत्रों में घरों में खाना पकाने के लिए बायोगैस के साथ उन्नत चूल्हों का इस्तेमाल ऊर्जा की बचत के साथ ग्रामीण महिलाओं के स्वास्थ्य तथा पर्यावरण के लिए भी हितकारी है। गाँवों में सौर तापीय तथा सौर प्रकाशवोल्टीय प्रणालियों द्वारा बिजली उत्पादन

पारंपरिक ऊर्जा स्रोतों से उत्पादित बिजली के संरक्षण में बहुत सहायक सिद्ध होगा।

ईंधन की बचत के लिए सौर जल तापकों (सोलर वाटर हीटर) का इस्तेमाल अमेरिका, जापान तथा इजराइल आदि देशों में बहुतायत से हो रहा है। मगर हमारे देश में निर्मित सौर जल तापकों की अधिक लागत के कारण (हालांकि सरकार इन पर छूट भी देती है) ये ग्रामीण समुदाय की पहुंच से बाहर तो हैं ही, आम जनता में भी ये बहुत लोकप्रिय नहीं हो पा रहे हैं। इस कारण पानी गरम करने के लिए हमारे देश में बिजली, लकड़ी, गैस तथा परंपरागत विद्युत जल तापकों का ही बहुतायत से इस्तेमाल होता है। इनके स्थान पर अगर सौर जल तापकों के इस्तेमाल पर जोर दिया जाए तो इससे बहुमूल्य ऊर्जा की काफी बचत हो सकती है।

उद्योगः व्यावसायिक ऊर्जा की सर्वाधिक खपत भारतीय उद्योगों में होती है। संपूर्ण देश की ऊर्जा खपत का आधे से अधिक हिस्सा तो उद्योगों में ही लग जाता है। उद्योगों से ऊर्जा की काफी मात्रा में बरबादी तापीय ऊर्जा के रूप में होती है। उद्योगों में प्रयुक्त संयंत्रों एवं युक्तियों की अदक्षता, ऊर्जा के गलत इस्तेमाल तथा ऊर्जा प्रबंधन के आंशिक या पूरी तरह से अभाव के कारण भी ऊर्जा का काफी हिस्सा बेकार चला जाता है।

विशेषकर प्राथमिक धातुएं, आवश्यक रसायन, पेट्रोलियम तथा खाद्य पदार्थ, कागज, कांच एवं कंक्रीट बनाने वाले उद्योगों में ऊर्जा की अनावश्यक रूप से बरबादी होती है।

ऊर्जा की अधिक खपत एवं बरबादी के साथ–साथ उद्योगों में प्रयुक्त संयंत्रों की असक्षमता के कारण पर्यावरण पर भी बुरा असर पड़ता है। अतः उद्योगों के लिए स्वच्छ प्रौद्योगिकी के विकास की दिशा में अब गंभीर रूप से प्रयास किए जा रहे हैं। स्वच्छ प्रौद्योगिकियों से न केवल ऊर्जा की बचत होगी वरन् पर्यावरण प्रदूषण की समस्या से भी काफी हद तक निजात मिल सकेगी। विशेषकर लघु औद्योगिक इकाइयों, जिनमें करीब 65 प्रतिशत राष्ट्रीय उत्पादन होती है, के लिए ऐसे उपाय बहुत जरूरी है।

ऊर्जा की अनावश्यक खपत रोकने के लिए उद्योगों में प्रयुक्त होने वाले मोटर एवं पंप मोटरों के गति नियंत्रकों को अधिक सक्षम

किया जाना जरूरी है। अधिक ऊर्जादक्ष भट्टियों जिनमें प्रदूषण नियंत्रण के लिए चिमनीकृत प्रणाली लगी हो, के विकास द्वारा भी काफी ऊर्जा की बचत एवं संरक्षण संभव है। उद्योगों के लिए गैसीफायरों का विकास भी इस दिशा में एक सार्थक कदम है। ऊर्जा के ऑडिट (एनर्जी ऑडिट) द्वारा उद्योगों में ऊर्जा का इस्तेमाल करने वाले संयंत्र प्रणालियों एवं युक्तियों आदि की दक्षता की सही गणना किए जाने की आवश्यकता है, ताकि जहाँ पर भी ऊर्जा बचाए जाने की संभावना मौजूद हो वहां ऊर्जा बचाए जाने के प्रयास किए जा सकें। इस दिशा में भारत में योजनाबद्ध ढंग से अभी काम नहीं किया गया है। परंतु टाटा ऊर्जा अनुसंधान संस्थान (टेरी) ने 1990 में बंगलूर में दक्षिण क्षेत्रीय केन्द्र की स्थापना कर सार्थक एवं सराहनीय कदम उठाया है। औद्योगिक ऊर्जा से जुड़ी समस्याओं तथा ऊर्जा संरक्षण को बढ़ावा देने के मूल उद्देश्यों से ही इस केन्द्र की स्थापनी की गई है।

इस तरह सार्थक ऊर्जा प्रबंधन द्वारा उद्योगों में काफी हद तक ऊर्जा संरक्षण संभव है। एक अनुमान के अनुसार उद्योगों में प्रयुक्त होने वाली 30 प्रतिशत ऊर्जा की बचत हो सकती है। बशर्ते ऊर्जा संरक्षण के सुसंगत उपायों का समुचित पालन हो।

कृषि : कृषि के क्षेत्र में सिंचाई के लिए ऊर्जा दक्षता वाले पंपों के विकास से भी काफी मात्रा में ऊर्जा की बचत हो सकती है। पंप के लिए इस्तेमाल होने वाले संयंत्रों की ऊर्जा धारिता की उचित गणना बहुत जरूरी है। ऐसे सयंत्रों की जरूरत से ज्यादा शक्ति होने पर अधिक ऊर्जा का नाहक इस्तेमाल होगा। गांवों में सौर प्रकाशवोल्टीय प्रणाली द्वारा सिंचाई ऊर्जा के पारम्परिक स्रोतों तथा बहुमूल्य बिजली को बचाने में काफी सहायता प्राप्त होगी। ट्रैक्टरों में भी ऊर्जा–दक्ष इंजन लगाकर ऊर्जा संरक्षण की दिशा में सार्थक कदम उठाया जा सकता है।

यातायात :यातायात के क्षेत्र में भी पेट्रोल और डीजल की काफी बचत वाहनों के ऊर्जा दक्ष इंजनों के विकास द्वारा की जा सकती है। वाहनों का मिल–जुल कर प्रयोग करने तथा सड़कों की दशा में सुधार करके भी ईंधन की काफी बचत हो सकती है। पेट्रोल की जगह जैव स्रोतों से प्राप्त इथेनॉल तथा मिथेनाल का ईंधन के

रूप में इस्तेमाल करने के लिए उचित प्रौद्योगिकी के विकास की आवश्यकता है। ईंधन सैल द्वारा हाइड्रोजन को सीधे विद्युत् में बदलकर उस विद्युत् से मोटर कारें चलाने के प्रयास भी विकसित देशों में चल रहे हैं।

यद्यपि हमारे देश में ऊर्जा संरक्षण के लिए अभी बहुत कुछ किया जाना बाकी है, पेट्रोलियम पदार्थों की बचत और उनके संरक्षण की दिशा में पेट्रोलियम संरक्षण अनुसंधान संघ (पी आर सी ए) ने बड़े महत्वपूर्ण कदम उठाए हैं।

ऊर्जा संरक्षण के लिए कुछ सुझाव : ऊर्जा संरक्षण की दिशा में राष्ट्रीय ऊर्जा नीति की घोषणा कर उसके तहत ऊर्जा संरक्षण प्राधिकरण की स्थापना भारत सरकार द्वारा की जानी चाहिए। उद्योग, खासकर लघु उद्योग ऊर्जा संरक्षण की तरफ एकदम ध्यान नहीं देते हैं। इसके लिए कानूनी प्रावधान भी आवश्यक हैं। सरकार को चाहिए कि ऊर्जा संरक्षण कानून पारित करे और उस पर कड़ाई से अमल करें।

परंतु ऊर्जा संरक्षण को केवल सरकारी मुददा ही नहीं बनाया जा सकता। ऐसा भी नहीं कहा जा सकता कि उद्योगों या व्यावसायिक प्रतिष्ठानों को ही केवल ऊर्जा संरक्षण के तरीकों पर अमल करना है। आज जबकि पेट्रोलियम पदार्थों के दाम आए दिन बढ़ते ही जा रहे हैं तथा बिजली भी निरंतर महंगी होती जा रही है, देश के हर नागरिक का कर्तव्य है कि अपने ही स्तर पर वह ऊर्जा की बचत एवं संरक्षण की दिशा में योगदान दे। ऊर्जा की बचत एवं संरक्षण का सद्‌कार्य अपने घर से ही शुरू होना चाहिए।

बिजली की बचत के सरल व आवश्यक उपाय

- कक्ष/कार्यालय छोड़ते समय लाइट, पंखे एवं अन्य बिजली उपकरण बन्द कर दें।
- घरों में फिलामेंट लैम्प के स्थान पर ट्यूब लाइट/सी.एफ.एल. बत्ती का उपयोग करें।
- घरों में टॉयलेट, बरामदा, सीढ़ी इत्यादि में कम वॉट की सी.एफ.एल. बत्ती का उपयोग करें।

– ट्यूब लाईट फिटिंग में परम्परागत चोक के स्थान पर इलैक्ट्रॉनिक चोक का उपयोग करें।
– घरों, अतिथि गृहों आदि में गरम पानी के उपयोग के बाद गीजर को तुरन्त बंद करें। जहाँ गरम पानी की खपत अधिक है, वहाँ सोलर वॉटर हीटर का उपयोग करें।
– घरों में प्रयुक्त फ्रिज के दरवाजे को ज्यादा देर तक खोल कर न रखें। फ्रिज के दरवाजे की गैस्केट व सीलिंग सही रखें।
– हीटर के उपयोग पर अंकुश लगायें, यह हानिकारक है। इससे ऑक्सजीन की कमी तो होती ही है, विद्युत् खर्च भी ज्यादा होता है।
– भवन में प्राकृतिक प्रकाश व हवा का पर्याप्त प्रावधान हो। दीवारों व पर्दों का रंग हल्का रखें जिससे यह कम प्रकाश का संग्रहण करें।
– रिमोट से चलने वाले बिजली उपकरणों को स्लीप मोड में न रखकर स्विच से भी बंद कर दें।
– पानी की बचत करें ताकि बिजली की बचत हो सकें।

पेट्रोल की बचत कैसे करें ?

1. कार 45–55 किलोमीटर प्रति घंटा की गति से चलाएं

कार हमेशा धीरे और संतुलित ढंग से चलायें। आप गाड़ी जितनी अधिक तेज चलायेंगे उसे उतना ही हवा के अधिक प्रतिरोध का सामना करना पड़ेगा। 60 किलोमीटर प्रतिघंटा या इससे अधिक की गति पर जाने से पेट्रोल बर्बाद होगा। भारतीय कारों पर किए गए परीक्षणों से यह सिद्ध हुआ है कि गाड़ी 80 किलोमीटर प्रतिघंटा की जगह 40 किलोमीटर प्रतिघंटा चलाने से आप 40% अधिक दूरी तय कर सकते हैं।

याद रखिए

– बिना वजह गाड़ी तेज अथवा धीमी न करें।

– झटके से ब्रेक न लगाएं। गाड़ी को कहाँ रोकना है, यह सब पहले से ही समझ जाए।

– परीक्षणों से ज्ञात हुआ है कि गति धीमी करने से यात्रा के समय में अधिक वृद्धि नहीं होती। इससे बस थोड़ा सा ही अन्तर पड़ता है।

2. इंजन को स्वस्थ रखें।

बड़ी संख्या में कारों पर किए गए परीक्षणों से पता चलता है कि नियमित रूप से इंजन की 'ट्यूनिंग' कराने से आप 6% तक पेट्रोल बचा सकते हैं। अगर आपका इंजन काला धुआं छोड़ता है, उसकी खिचाव–शक्ति कम है या वह तेल की अधिक खपत करता है तो उसे तुरन्त किसी अच्छे गैराज में चैक करायें। देर करना महंगा पड़ सकता है, क्योंकि ओवरहॉलिंग के खर्च की अपेक्षा फालतू पेट्रोल और तेल फुंकने का खर्च कही अधिक होगा।

3. गाड़ी सदा सही गियर में चलायें।

गलत ढंग से गियर बदलने से ईंधन की खपत में 20% तक की वृद्धि हो सकती है।

कार को पहले गियर में ही स्टार्ट करें, सिवाय उस वक्त के जब आप गीली, दलदली ज़मीन अथवा ढलान पर हों – तब दूसरा गियर लगाएं।

– शहर में कार चलाते वक्त ऊपरी गियर में तभी जाए जब आपको पूरा विश्वास हो कि इंजन को ज्यादा कठिनाई नहीं होगी। जितनी जल्दी हो सके सबसे ऊपरी गियर में आ जाएं।

– ढलान से नीचे आते समय वहीं गियर ठीक है जिसकी आवश्यकता उसी चढ़ाई पर ऊपर जाते समय पड़ती है।

– निर्माता की सिफारिशों का अनुपालन करना उचित है।

4. इंजन के गरम होने का इन्तजार न करें।

इसके स्थान पर, इंजन गरम होने तक कार को निचले गियर में चलाएं। 'चोक' का प्रयोग आवश्यकता से अधिक न करें।

– 10° सेंटीग्रेड और इससे कम तापमान पर 5 किलोमीटर अथवा उससे कम दूरी तक कार चलाने से पेट्रोल की प्रति किलोमीटर खपत दुगुनी हो जाती है। इसलिए छोटी दूरी के लिए बार–बार गाड़ी ले जाने के स्थान पर एक ही बार यात्रा करके अधिक से अधिक काम निबटा लें।

– अपनी कार को कभी इस तरह न पार्क करें कि आप को उसे ठंडी हालत में 'रिवर्स' करना पड़े। ऐसा करने से इंजन काफी मात्रा में पेट्रोल खर्च करता है।

– अगर आपकी कार में इंजन हीटिंग सिस्टम नहीं है तो लगवा लें।

5. ब्रेक का सही प्रयोग करें।

बार–बार ब्रेक लगाकर कार चलाने से ईंधन व्यर्थ होता है। जब आप ब्रेक पर जोर लगाते हैं तो गरमी के रूप में काफी उपयोगी ऊर्जा व्यर्थ जाती है। एक अच्छा चालक पहले से ही समझ जाता है कि उसे कहाँ रुकना होगा।

– कार सर्विस कराते समय चैक करें कि सभी पहिए आसानी से घूमते हैं या नहीं। जरूरत से ज्यादा कसी हुई ब्रेक पहियों के आसानी से घूमने में बाधा डालती है और इंजन को इसका सामना करने के लिए अधिक पेट्रोल खर्च करना पड़ता है।

– पहियों का एलाइनमेंट नियमित अंतराल पर कराते रहें।

6. क्लच से पांव हटाकर रखें।

क्लच का प्रयोग गियर बदलते समय ही करें। क्लच पर पांव रखकर गाड़ी चलाने से ऊर्जा व्यर्थ होती है, और क्लच–लाईनिंग को हानि पहुंचाती है।

– चढ़ाई पर रुकने के लिए हैण्ड ब्रेक इस्तेमाल करें। क्लच और एक्सलरेटर को एक साथ दबाकर गाड़ी रोके रखना ठीक नहीं, क्योंकि इससे ईंधन व्यर्थ जाता है।

7. एयर फिल्टर को नियमपूर्वक साफ करें।

एयर फिल्टर धूल–मिट्टी को इंजन में जाने से रोक कर इंजन को साफ रखता है। धूल से इंजन के पुर्जे जल्दी घिस जाते है और ईंधन की खपत बढ़ती है।

– जिस इंजन में एयर क्लीनर नहीं होता उसका सिलेण्डर बोर 45 गुना जल्दी घिसता है।

– इंजन की हर 'ट्यूनिंग' के समय एयर फिल्टर साफ़ करें।

8. टायरों में हवा के दबाव का ध्यान रखें।

टायर में हवा कम होने से टायर घुमाव के लिए अधिक बल की आवश्यकता होती है, जिससे पेट्रोल की खपत बढ़ जाती है।

याद रखिए :

परीक्षणों से पता चला है कि टायर की हवा के दबाव में 25% कमी होने से पेट्रोल की खपत 5% से 10% तक बढ़ जाती है और टायर की आयु 25% कम हो जाती है।

9. कार जब भी रोकें, इंजन बन्द कर दें।

अपनी कार को हमेशा तुरन्त स्टार्ट होने की हालत में रखिए। बैटरी, डायनमों, सेल्फ स्टार्टर और फ़ेन–बेल्ट को अच्छी हालत में रखें। ऐसा करने से आप जब भी चाहेंगे अपनी गाड़ी स्टार्ट कर सकेंगे।

10. बताए गए ग्रेड का ऑयल ही प्रयोग करें।

अपनी कार के लिए किसी विशेष ग्रेड का ऑयल निर्धारित करने से पहले कार की देखभाल पुस्तिका तथा निर्माता के सुझावों

को अवश्य पढ़ लें। ज्यादा फायदा उठाने के लिए सदैव मल्टी ग्रेड ऑयल का इस्तेमाल करें।

याद रखिए

बताए गए ग्रेड से अधिक गाढ़ा ऑयल डालने से ईंधन की खपत 2% ज्यादा हो सकती है।

11. रास्ता सोच–समझ कर चुनें।

भीड़ भाड़ के समय, अथवा रुक–रुक कर चलने वाले ट्रैफिक में कार चलाने से अधिक ईंधन व्यर्थ जा सकता है। कम भीड़ वाले रास्ते पर जाने से, चाहे वह थोड़ा लम्बा ही क्यों न हो, आप प्रति लीटर दूरी तय कर सकते हैं।

12. यात्रा सोच–समझ कर करें।

यात्रा से पहले अपने आप से दो प्रश्न पूछिये :

– क्या यह यात्रा वास्तव में बहुत आवश्यक है?

– क्या मैं इस यात्रा को उसी दिशा में होने वाली दूसरी यात्रा के साथ मिला सकता हूँ ?

13. बोझ कम कर लें।

अनावश्यक भार पेट्रोल की खपत बढ़ाता है। आप स्वयं विचार कीजिए कि क्या कार में सामान वाले रैक की वास्तव में जरूरत है।

–शहर में कार चलाते समय भार में लगभग 50 किलोग्राम की कमी से आप पेट्रोल की खपत में 2% तक की बचत कर सकते हैं।

14. 'कार पूल' बनाकर एक साथ यात्रा करें।

ऐसे व्यक्तियों का पता करें, जिन्हें उसी तरफ जाना है, जिधर आप जा रहे हैं। उन्हें भी अपनी कार में बिठा लें और खर्च को बराबर बांट कर पैसे की बचत करें।

3. सह उत्पादन की विचारधारा

भारत में ऊर्जा की मांग और आपूर्ति में विद्यमान भारी असंतुलन से निपटने के लिए कई प्रकार की युक्तियाँ और प्रौद्योगिकी सन्नद्ध की जा रही है। इनमें से तथाकथित "सह–उत्पादन" अपेक्षाकृत एक नया किन्तु आकर्षक विकल्प है। सह–उत्पादन एक प्रौद्योगिकी के रूप में विकसित हुआ है। जिसके द्वारा ऊर्जा–संरक्षण के साथ व्यर्थ पदार्थों की उत्पत्ति पर नियंत्रण करना एवं पर्यावरण संरक्षण के उद्देश्य हल होते हैं। इस प्रौद्योगिकी को विकसित करना, इसके प्रभाव एवं प्रयोग को बढ़ाना और उद्यमियों में इसके प्रति रुझान पैदा करना राष्ट्रीय महत्व का कार्य है।

एक ही ईंधन स्रोत से दो उपयोगी रूपों की ऊर्जा का दक्षतापूर्ण उत्पादन करना "सह–उत्पादन" कहा जाता है। जिसमें किसी एक उत्पादन प्रणाली से निष्कासित अवशेष ऊर्जा को दूसरी प्रणानी के संचालन हेतु सन्नद्ध किया जाता है। सामान्यतः प्राथमिक ऊर्जा उष्मा (भाप) के रूप में होती है तथा द्वितीय रूप विद्युत् अथवा यांत्रिक ऊर्जा के रूप में। इस प्रकार से एक ही औद्योगिक इकाई के अन्दर भाप और विद्युत् दोनों का उत्पादन किया जा सकता है। कई ऊर्जा साध्य उद्योगों जैसे– कपड़ा मिलें, चीनी मिलें कागज, रासायनिक उर्वरक, खाद्य संसाधनीकरण, रसायन और पेट्रोरसायन आदि में भाप का आन्तरिक रूप में उत्पादन होता है किन्तु विद्युत् बाहर से प्राप्त की जाती है। सह–उत्पादन के माध्यम से भाप के साथ विद्युत् का उत्पादन करने से न केवल आन्तरिक रूप से विद्युत् की आपूर्ति हो सकती है वरन् बची हुई विद्युत् ग्रिड को बेची जा सकती है। इसप्रकार से विद्युत् के उत्पादन हेतु जलाया जाने वाला अतिरिक्त ईंधन बच जाता है और प्रदूषण घटाने में भी मदद मिलती है।

ईंधन को विद्युत् में परिवर्तित करने की दक्षता 30 से 35 फीसदी के मुकाबले सह–उत्पादन के जरिए प्राप्त प्रणाली की कुल दक्षता 10 फीसदी तक हासिल की जा सकती है। सह–उत्पादन द्वारा 10 से 30 फीसदी तक ईंधन–खपत घटाई जा सकती है। इसके अलावा ऊर्जा के दो रूपों का सह जनन आरम्भिक लागत तथा उत्पादन लागत कम करने में भी सहायक होता है।

सह–उत्पादन के लाभ :

सह–उत्पादन में जिसप्रकार ऊर्जा–चक्र दक्षता में सुधार होता है उससे निम्नलिखित लाभ प्राप्त होते हैं –

1. एक ही ईंधन से उष्मा तथा विद्युत् दोनों प्राप्त करने में कुल दक्षता बढ़ती है जिसके कारण ईंधन की खपत और खर्च कम होता है, कम लागत पर उत्पाद प्राप्त होते हैं और पूँजी निवेश ज्यादा आकर्षक होता है।
2. प्राप्त ईंधन से उपयोगी ऊर्जा का उत्पादन अपशिष्ट ऊर्जा के द्वारा बढ़ जाता है जो अन्यथा पर्यावरण में प्रवेश कर असंतुलन पैदा करती है।
3. ऊर्जा–संरक्षण कई रूपों में एक साथ होता है। जैसे बाहर से ग्रिड द्वारा प्राप्त विद्युत् की खपत अधिकाधिक कम करना, प्राप्त ऊर्जा का उद्योगों की विविध–क्रियाओं में प्रयोग करना तथा निम्न दक्षता के स्रोतों से प्राप्त ऊर्जा पर रोक लगाना और शीतलन एवं निष्कासन प्रणालियों से व्यर्थ होनेवाली ऊर्जा का उपयोग में लाना।
4. वस्तुतः सह–उत्पादन विद्युत् और भाप के उत्पादन का विश्वसनीय विकल्प है और उन स्थितियों में विशेषकर वरदान है जहाँ विद्युत् आपूर्ति की बड़ी अविश्वसनीय स्थिति है।
5. विद्युत् प्रेषण एवं वितरण से होने वाला 8 से 10 फीसदी का क्षय उपयोग के स्थान पर ही विद्युत् जनन द्वारा रोका जा सकता है, जैसा कि सह–उत्पादन में संभव है।
6. पारम्परिक विद्युत् संयंत्रों को लगाने में लगने वाले समय 5 से 6 वर्ष की अपेक्षा सह–उत्पादन के संयंत्र 2 से 3 वर्ष में ही स्थापित किए जा सकते हैं।
7. कम मात्रा में अधिक दक्षता पर ईंधन के प्रयोग से पर्यावरण पर कम भार पड़ता है और विशेषकर हानिकारक प्रदूषकों, जैसे – सल्फर डाइऑक्साइड, नाइट्रोजन के ऑक्साइड, कणिकाओं आदि के निष्कासन में कमी आती है।

ऊर्जा शिक्षा

वस्तुतः यह प्रेक्षित किया जा चुका है कि किसी भी राष्ट्रीय कार्यक्रम की सफलता जन सहभागिता से ही संभव है। चाहे वह शिक्षा, जन स्वास्थ्य, पेयजल, स्वच्छता, पर्यावरण, नारी शिक्षा, ऊर्जा संरक्षण भी क्यों न हो। क्योंकि शिक्षा, समाज के सम्मुख उपस्थित समस्याओं का समाधान प्राप्त करने का सबसे प्रभावकारी माध्यम है। ऊर्जा के परिप्रेक्ष्य में यद्यपि अलग-अलग स्तर के लिए विशिष्ट लक्ष्य भिन्न हो सकते हैं, तथापि सामान्य रूप से इसे शिक्षाप्रद, सूचनाप्रद, अन्वेषणात्मक एवं कल्पनाशील होना चाहिए। किसी वांछनीय ऊर्जा शिक्षा एवं प्रशिक्षण कार्यक्रम के निम्नलिखित विशिष्ट उद्देश्य हो सकते हैं–

1. विद्यार्थियों में वर्तमान ऊर्जा एवं पर्यावरण संकट के कारणों या उनकी आपसी सूत्रबद्धता के विषय में जागरूकता विकसित करना।
2. विभिन्न प्रकार के पारंपरिक एवं वैकल्पिक ऊर्जा स्रोतों, उनकी संसाधन क्षमता तथा उनको प्रयोग में लाने के लिए उपलब्ध प्रौद्योगिकियों की जानकारी देना।
3. ऊर्जा के विभिन्न स्रोतों के उपयोगों के संबंध में विद्यार्थियों के क्रियात्मक एवं व्यावहारिक मूल्यों का विकास करना तथा आर्थिक, सामाजिक एवं पर्यावरण संबंधी आयामों के महत्व को पूर्णतः समझने में सहायता करना।
4. ऊर्जा से संबंधित नीतियों के दीर्घगामी परिणामों को समझने में विद्यार्थियों को सक्षम बनाना।
5. इच्छित आर्थिक विकास एवं मानव जीवन की गुणता में सुधार के लिए आवश्यक ऊर्जा प्रदान कराने एवं भविष्य में संभावित ऊर्जा संकट के समाधान के लिए वैकल्पिक योजनाओं को बनाने एवं उनके क्रियान्वयन में विद्यार्थियों को सक्षम बनाना।

ऊर्जा शिक्षा एवं प्रशिक्षण पद्धतियाँ

ऊर्जा से सम्बद्ध चुनौतियों के सम्पूर्ण समाधान के लिए यह आवश्यक है कि ऊर्जा शिक्षा सार्वभौमिक स्तर पर जनसाधारण तक

पहुँचनी चाहिए। अतः यह आवश्यक हो जाता है कि शिक्षा की औपचारिक एवं अनौपचारिक दोनों पद्धतियों को इस कार्य के लिए काम में लाया जाय।

औपचारिक शिक्षा के अन्तर्गत विद्यालयों, कॉलेजों, विश्वविद्यालयों एवं अन्य शैक्षणिक सस्थाओं में दी जानेवाली शिक्षा एवं प्रशिक्षण सम्मिलित किए जाते हैं। औपचारिक शिक्षा का मुख्य आधार चुनी हुई आवश्यकताओं पर आधारित सोद्देश्य शैक्षिक अनुभव प्रदान कराना होता है। और इसमें एक व्यवस्थित शिक्षा प्रणाली द्वारा विद्यार्थी के लिए नियंत्रित दीर्घकालिक योजना बनाई जाती है।

अनौपचारिक शिक्षा पद्धति में सार्वजनिक प्रसारण एवं संचार माध्यमों अथवा कुछ संगठनों द्वारा शिक्षा प्रदान की जाती है। शिक्षा की अनौपचारिक पद्धति द्वारा विशेषतः उन वर्गों को ऊर्जा शिक्षा प्रदान की जा सकती है जो कभी विद्यालय न गए हों, विद्यालय छोड़ चुके हों व बेरोजगार हों एवं अधिक आयु के वे नागरिक जो इस विषय में विशेष रुचि रखते हों तथा कार्यकुशलता प्राप्त करना चाहते हों। विकासशील देशों में, जहाँ लगभग 50 प्रतिशत बच्चे किसी प्रकार की औपचारिक शिक्षा नहीं प्राप्त कर पाते हैं वहाँ यह आवश्यक है कि ऊर्जा शिक्षा एवं प्रशिक्षण प्रदान करने के लिए औपचारिक एवं अनौपचारिक दोनों शिक्षा पद्धतियों के विवेकशील सम्मिश्रण का उपयोग किया जाय।

औपचारिक पद्धति से ऊर्जा–शिक्षा एवं प्रशिक्षण प्रदान करने की दिशा में अब यह स्पष्ट हो गया है कि विद्यार्थियों को आवश्यक ज्ञान क्रमशः अनेक स्तरों पर प्रदान करना चाहिए। उदाहरण के लिए, जन साधारण में ऊर्जा संबंधी जागरूकता उत्पन्न करने तथा इस विषय की आधारभूत संकल्पनाओं एवं उपयोगों का प्रारंभिक ज्ञान देने के लिए प्राथमिक एवं माध्यमिक विद्यालयों के स्तर पर ही प्रयास करने चाहिए।

प्राथमिक एवं माध्यमिक शिक्षा के स्तर पर विद्यार्थियों के लिए ऊर्जा के क्षेत्र में संबंधित प्रौद्योगिकी के निर्माण, स्थापना एवं रख–रखाव के लिए आवश्यक प्रशिक्षण, प्रमाण पत्र एवं डिप्लोमा स्तर के पाठ्यक्रमों द्वारा दिया जा सकता है। नयी प्रौद्योगिकी की संकल्पना, विकास, निर्माण एवं मूल्यांकन के लिए आवश्यक मानव संसाधन

उपलब्ध कराने के लिए ऊर्जा अभियांत्रिकी विषय पर चार वर्ष के स्नातक स्तर के पाठ्यक्रम उपादेय होंगे। इच्छुक विद्यार्थियों के लिए स्नातकोत्तर स्तर के पाठ्यक्रम को भी समाविष्ट किया जा सकता है। ऊर्जा शिक्षा एवं प्रशिक्षण के कार्यक्रमों की दक्षता एवं प्रभावशीलता में सुधार करने के लिए क्षेत्रीय, राष्ट्रीय एवं अंतरराष्ट्रीय स्तर पर विभिन्न संस्थानों एवं उपक्रमों के बीच समन्वय की महती आवश्यकता है। अतः आशा की जाती है कि अपार ऊर्जा के विभिन्न अवयवों पर कालांतर में अनुसंधान, विकास एवं समयोपयोगी दोहन देश के विकास में मील का पत्थर साबित होगा।